SGYRSI

C000229830

Sgyrsiau

Rhodri Prys Jones

Gwasg Gwynedd

Argraffiad Cyntaf — Rhagfyr 1991

© BBC 1991

ISBN 0 86074 079 X

Cedwir pob hawl. Ni chaniateir atgynhyrchu unrhyw ran o'r cyhoeddiad
hwn a'i gadw mewn cyfundrefn adferadwy na'i drosglwyddo mewn
unrhyw ddull na thrwy unrhyw gyfrwng electronig, electrostatig,
tâp magnetig, mecanyddol, ffotogopïo, recordio, nac fel arall,
heb ganiatâd ymlaen llaw gan y cyhoeddwyr,
Gwasg Gwynedd, Caernarfon.

Dymuna'r cyhoeddwyr gydnabod cymorth a chyfarwyddyd
Adrannau'r Cyngor Llyfrau Cymraeg a noddir gan
Gyngor Celfyddydau Cymru.

Cyhoeddwyd ac argraffwyd
gan Wasg Gwynedd, Caernarfon.

I ALED, IFAN
A TREFOR

Cynnwys

Rhodri Prys Jones

Fedra' i yn fy myw â chael y beic 'na o'm meddwl. Beic yr Uned Hybu Iechyd oedd o ac ydi o; mae'r beic yn bod o hyd.

Y prynhawn hwnnw ym Medi 1990 roedd Rhodri Prys Jones ar gefn y beic disymud ac yn pedlo orau byth ag y medrai; yr olwynion yn troi, ond doedd y beic ddim yn cyrraedd unman.

Fe ddaw gweithwyr yr Uned Hybu Iechyd yn rheolaidd i Fryn Meirion ac er y gwyddai Rhodri yn well na neb ohonom fod y corff yn breuo yr oedd o am fynnu ei roi ei hun ar brawf. Os oedd y beic yn aros yn yr unfan fe wyddai Rhodri yn iawn i ble'r oedd o'n mynd a chyda'r un dewrder a'r un urddas y treuliodd ei ddyddiau ola' ar y ddaear hon.

Un o'm dyletswyddau i yn y BBC ym Mangor yw dewis tîm. Beth bynnag yw'r galw yr un yw'r hanfodion — syniadau, egni, brwdfrydedd, dyfalbarhad. Weithiau mae angen sgrifennwr, weithiau berfformiwr, dro arall ymchwilydd. Chwilio y byddwn ni am bobol greadigol a all fod yn rhan o dîm. Wrth benodi Rhodri roedd ei argyhoeddiadau crefyddol, yn naturiol, o'r pwys pennaf.

O'i gymharu â'r maes chwarae does dim pwrpas dewis yr un ddawn yn union drosodd a throsodd. Mae un yn rhagori am gicio'n gywir, un arall am basio'n gyflym. Arall yw dawn y neidiwr, y gwibiwr; arall eto y taclo, y gwthio, yr hyrddio a'r ochr-gamu. A phan gyfunir y doniau angenrheidiol y mae'r tîm yn llwyddo. Onid felly yr aeth Crist ati i ddewis ei dîm yntau?

Aeth ati i ddewis dynion cyffredin o blith pobol gyffredin i wneud pethau cyffredin yn iawn. Fe ddewisodd un a oedd yn ffals i'w wlad, y casglwr trethi. Dewis arall oedd y gwlatgarwr eithafol. Oni bai am bresenoldeb Crist fe fyddai'r selot wedi llofruddio'r bradwr heb droi blewyn. Ond roedd presenoldeb Crist yn dwyn cymod; galw a chymodi. Fe ddewiswyd y ddau i fod gyda Christ ac i gyhoeddi Crist gan iacháu'r cleifion, glanhau'r gwahanglwyfus ac atgyfodi'r meirw.

Fe ddewisodd bysgotwyr am eu hamynedd a'u dyfalbarhad, eu dewrder yn wyneb stormydd, eu doethineb i gadw o'r golwg — er mwyn hoelio'r sylw ar Iesu. Dyna oedd pleser y disgyblion, cyflwyno Crist i eraill a rhannu'r newyddion da.

Y mae sôn am un disgybl annwyl. Un felly oedd y sawl a rannai'r Newyddion Da o Fangor ar y radio, Rhodri Prys Jones; gŵr addfwyn a boneddigaidd ac un y daeth Duw i'w gyfarfod hanner-ffordd a phellach na hynny. Yn y gyfrol hon fe geir casgliad o'r myfyrdodau hynny a ddarlledwyd ganddo hyd at ei farw ganol Chwefror 1991.

'Good news is no news!' meddai'r Sinig newyddiadurol. I'r gwrthwyneb, meddai Rhodri yn y gyfrol hon. Yn wahanol i'r bwletinau a gyhoeddir ar yr awr nid am syfrdandod byrhoedlog y mae'r newyddion da yn sôn. Eu gogoniant yw dyrchafu dynion ac nid digwyddiadau; dyrchafu pobol ac nid sefydliadau, ond yn bennaf oll dyrchafu gair Duw i'w bobol.

Rhy fyr yw tragwyddoldeb llawn
I ddweud yn iawn amdano

a rhy fyr o lawer, yn ein golwg ni, fu taith bywyd y disgybl hwn. Coffa da amdano a diolch i'r Dr Sylvia Prys Jones, ei weddw, am ganiatáu i ni'r cyfle i graffu eto ar ei genadwri.

R. ALUN EVANS

Diolch

Diolch yn fawr iawn i Siân Roberts, Falmai Pritchard a Delyth Prys am y gwaith teipio, i Mrs Mair Eluned Davies am ei chymorth i ddethol y sgyrsiau, i'r BBC am roi caniatâd i gyhoeddi'r sgyrsiau, ac i Wasg Gwynedd am eu gwaith gofalus.

SYLVIA PRYS JONES

Crefydd Fyw

Mae'n rhyfedd 'dydi sut mae rhai pethau'n mynd dros gof cenedl yn sydyn iawn. Dyna i chi hen arferion, hen ddywediadau — yr hen ffyrdd Cymreig o fyw y mae'n rhaid cyrchu i ryw Sain Ffagan o le i weld — a chlywed — eu gogoniant bellach. Tybed faint ohonoch chi sy'n cofio defnyddio saim gŵydd? Mae'n siŵr gen i y bydd rhai ohonoch chi'n ymateb trwy ddweud, 'Wrth gwrs ein bod ni', tra bydd eraill, dipyn yn iau efallai, yn sbio'n syn ar ei gilydd, ac yn holi, 'Saim gŵydd? Beth ydi hwnnw?'

Roeddwn i wrthi, rai nosweithiau yn ôl, yn chwist-rellu *Castrolease* i lyw'r car, ar fy mhennau gliniau yn y mwd, pan ddaeth cyfaill i sefyll uwch fy mhen a dechrau doethinebu. Felly mae pobol pan ydych chi'n trio gwneud gwaith anodd, a sôn yr oedd o am y defnydd a wnâi pobol erstalwm o saim gŵydd.

'Mi roedd Taid yn ei ddefnyddio fo i gadw lledr ei 'sgidia' hoelion mawr yn llipa,' medde fo, 'a Nain yn 'styried ei fod o'n stwff eitha' da at ddolur gwddw. Roedd 'na bob math o bethau fedret ti'u gwneud efo fo.'

Mi eisteddodd ar yr aden wrth ddweud hyn a bu bron i dunnell a thri chwarter o gar ddisgyn ar fy mhen i. Ond er gwaethaf awgrym cynnil gen i, daliodd ati i siarad.

'Stalwm, 'sti, mi fyddai 'na bobol yn Ewrop yn dewis gŵydd dew, yn hoelio'i thraed hi ar ddarn o bren fel na fedrai hi symud cam. Wedyn mi fydden nhw'n ei stwffio hi â bwyd nes y byddai hi fel balŵn, ac yna'n ei lladd hi er mwyn cael y saim ohoni.'

Erbyn hyn roeddwn innau'n dechrau dychmygu faint o saim ddôi ohonof i pe bai'r cyfaill mwyn yn gorffwys ei ben ôl mawr ar aden flaen y car unwaith eto. Ond mi gefais gyfle wedyn i feddwl ynghylch yr hyn ddywedodd o am yr ŵydd â'i thraed yn sownd. Pobol â'n traed yn hollol styc ydyn ni wedi bod fel Cristnogion ers blynyddoedd, yn siarad a siarad am efengylu, am weithredu, am wneud Cristnogaeth yn beth byw yn ein bywydau ond heb fawr o lwyddiant. Ein traed ni'n sownd mewn enwadaeth, traddodiad, ffurfioldeb a mosiwns crefydda. Ond crefydd i'n rhyddhau ni — a'n bywhau ni — ydi Cristnogaeth. Mi fyddai Byddin yr Iachawdwriaeth ers talwm yn sôn llawer am 'ymarfer gliniau' sef gweddïo. Tybed nad wrth fynd ar ein gliniau y mae cael ein traed yn rhydd. O siarad â Duw y cawn ni hyder i gyhoeddi ei neges, a chofiwch ofyn hefyd am dipyn o saim gŵydd yr Ysbryd Glân i iro tipyn ar ein cymalau ysbrydol ni. Hwyl fawr.

(Mehefin 1986)

Y Gwir Arwyr

Ychydig ddyddiau yn ôl roeddwn i'n teithio o Aberaeron yn ôl i'm cartre yn y Waunfawr. Doeddwn i ddim yn gyrru'n gyflym iawn iawn — mae'n amhosib gwneud hynny yn y Metro bach glas — ond doeddwn i ddim yn gyrru'n ara' deg 'chwaith, a phan gyrhaeddais i'r Ganllwyd dyma roi 'nhroed i lawr a chodi sbîd i ddringo'r allt serth a ddôi â mi ymhen tipyn i Drawsfynydd. Wedi cyrraedd top yr allt, roedd dau gar yn mynd o'm blaen, yn fwy araf na mi, a chan fod y ffordd yn syth a neb yn dod tuag ataf, dyma blannu troed ar y sbardun, ac i ffwrdd â'r Metro heibio iddyn nhw, gan gyrraedd rhyw saith deg milltir yr awr wrth oddiweddyd.

Nawr mae'n rhaid fod hyn wedi peri cynddaredd mawr i yrrwr un o'r ceir roeddwn i wedi mynd heibio iddyn nhw. Metro bach yn goddiweddyd Cortina — hyd yn oed os oedd hwnnw'n hen — wnâi hynny mo'r tro o gwbwl! A dyma geisio'i orau glas i'm dal, a llwyddo o'r diwedd i fynd heibio. Nawr os oeddwn i'n gyrru saith deg milltir yr awr — a hynny'n berffaith ddiogel, cofiwch — ar ffordd lydan, syth a gwag, mae'n rhaid fod gyrrwr y Cortina wedi cyrraedd o leia wyth deg pump er mwyn fy rhoi i yn fy lle, ac roedd arogl oel ei injan flinedig yn llenwi fy nghar bach i. Ac mi fu'n rhaid i mi chwerthin ymhen ychydig eiliadau pan welais

15

ei olau oren yn fflachio. Roedd o'n troi am y 'plastai pren', y *chalets* ym Mronaber. Sioe oedd y cwbwl!

Rhyfedd 'te. Rydyn ni'n byw mewn oes lle mae cyflawni llawer a threchu pobol eraill yn bwysig. Rydyn ni'n cystadlu â'n gilydd am awdurdod, am gyflog, am amlygrwydd — y fi fawr, y fi gynta, y fi orau piau hi bob tro. Mi welwch chi'r peth yn yr Eglwys weithiau: mae gan hwn a hwn Eglwys anferth, fyw, yn bregethwr gwych. Mae'n rhaid ei fod yn batrwm o ardderchowgrwydd ysbrydol. Ond er bod yna bobol fel hyn sydd yn wych, gadewch i ni beidio ag anghofio fod yna lawer o Gristnogion heddiw sy'n haeddu bod yn arwyr mwy — y rhai sy'n gweithio'r talcen caled lle mae llwyddiant yn beth prin iawn. Pobol tebyg i'm cyfaill, Jean Parr, sy'n efengylu yn Llydaw ers blynyddoedd heb fawr neb yn troi at yr Arglwydd trwy'i weinidogaeth. Pobol tebyg i'ch gweinidog chi efallai sy'n gweithio'n gydwybodol heb i chi ddangos unrhyw gynnydd yn ei olwg na gwerthfawrogiad. Mi fyddaf yn cyfarfod amryw o'r brodyr hyn wrth grwydro'r wlad yn recordio Gwasanaethau. Gadewch i ni gofio fod eu gwir fawredd yn gorwedd yn y ffaith eu bod nhw'n gwasanaethu'r Arglwydd, a'u preiddiau, yn dawel ac yn ostyngedig, heb dynnu sylw atyn nhw'u hunain. Ac uchel fydd stoc pobol felly yn nheyrnas nefoedd. Pob hwyl i chi, a chymerwch ofal.

(Mawrth 1986)

Gwerth Yr Unigolyn

Mae pob un person yn hynod werthfawr, 'dydi? Roeddwn i'n gyrru tua Bangor ryw ddiwrnod y gaeaf diwethaf ac roedd yna fachgen ifanc yn ffawd-heglu ger ffordd osgoi Caernarfon. Roedd yr olwg arno'n ddigon i dynnu sylw dyn. Fedra i ddim cofio pa wisg oedd amdano erbyn hyn ond roedd ei wallt o'n rhyfeddod — y rhan fwyaf ohono'n sefyll yn syth ar ei ben ac wedi'i liwio'n ddu fel plu brân — a darn hir blaen ar siâp saeth, yn eich cyfeirio chi at gastell y Penrhyn, neu at flaen ei drwyn o, yn dibynnu ar y gwynt.

'Wel, y lob gwirion,' meddyliais innau, a gyrru heibio gan anwybyddu'r bawd. A difaru'n syth wedyn. Oni fyddai'r Crist rydw i'n ei bregethu wedi sefyll yn stond? Roedd hi'n rhy hwyr erbyn hyn, a rhes hir o geir rhyngof i a'r brawd, pob un o'r gyrwyr fel finnau, mae'n siŵr, wedi wfftio'r sawl oedd i'w weld mor dddauwynebog â cheisio herio cymdeithas ar un llaw ac ar y llaw arall yn ymbil ar aelodau parchus y gymdeithas honno am lifft i Fangor.

Daeth llythyr yr Apostol Paul at ei gyfaill Philemon i'm cof, lle mae Paul yn ymbil ar ei ffrind i dderbyn ei was Onesimus yn ôl ac i faddau iddo. Rhywbeth yn debyg oedd barn Philemon am Onesimus siŵr o fod — meddwl ei fod o'n dipyn o ionc, a thynnu arno oherwydd ei enw Onesimus, sef 'un proffidiol'. Go brin mai un felly oedd o, a bellach dyma fo wedi dwyn oddi ar Philemon a dianc i Rufain.

Ond yn Rhufain, gwyddai i ba le i droi — at y Cristnogion. A dod yn un ohonyn nhw a chael ei wneud yn ddyn newydd, trwy ras Duw. Cymaint felly nes bod Paul yn ysgrifennu at ei feistr: 'Bu ef gynt yn ddi-fudd i ti, ond yn awr y mae'n fuddiol iawn i ti ac i minnau.' Bachgen gwerthfawr i ddyn ac i Dduw o hyn allan.

Rhyw deimlo yr oeddwn i o ddarllen stori Onesimus ac wrth ystyried fy ymateb i i'r ffawd-heglwr: rydyn ni'n colli cyfle wrth wfftio pobol eraill, am ba reswm bynnag. Nid yw Duw, na Iesu Grist, fyth yn wfftio neb, dim ond cynnig cariad, maddeuant a chyfeillgarwch i ni i gyd heb ddal dim yn ôl. Rhywbeth i ni i gyd ei gofio, heddiw'n arbennig efallai gan ei bod hi'n ddiwrnod *Aids*. Mae pob person yn fod gwerthfawr gan Dduw, pob copa walltog ohonon ni yn greadigaeth arbennig, ar ei lun a'i ddelw Ef — ac yn teilyngu parch a chariad oherwydd hynny.

Dduw ein Tad nefol, dysg ni i werthfawrogi mawredd a gwychder pob person a wnaed ar dy lun a'th ddelw di — ac i drin pawb â pharch a chariad, bob amser. Amen.

(Ionawr 1988)

Blaenoriaethau

Bore da. Ysgwn i a ydyn ni heddiw yn rhoi bri mawr ar ein heiddo? Nid sôn am arian rydw i rŵan — er bod hwnnw, siŵr o fod, yn dod i mewn i'r darlun yn rhywle — ond am yr holl betheuach yna y mae dyn yn eu casglu o'i gwmpas yn ystod ei fywyd. Rhyw fric a brac personol fel petae. Cymerwch yr atig yna sydd yn ein tŷ ni. Bûm yn meddwl ei throi yn ystafell wely'n ddiweddar, hyd nes i mi sylweddoli nifer y trugareddau sy'n cael eu cadw ynddi. Hen bethau na fydd byth mo'u hangen eto, siŵr o fod. Hen gadeiriau a'u coesau wedi cracio, hen beiriant torri gwair na wêl flewyn eto, hen fframiau lluniau a daflwyd gan Archifdy Caernarfon flynyddoedd yn ôl ond a gedwais i 'rhag ofn'. Darn mawr o hen garped y lolfa — ac, o ie, ffilm herciog fy nhad yng nghyfraith o'r achlysur hwnnw pan briodais i ei ferch. Mae'n rhaid cyfaddef mai'r darn bach hwnnw o ffilm ydi'r unig beth o blith yr holl drugareddau yn y lle y talwn i fwy na dwy a dimai amdano bellach.

Roeddwn i'n darllen yn ddiweddar am ddyn a'i wraig y bu'n rhaid iddyn nhw ffoi'n sydyn iawn o afael Hitler, a dianc i'r Amerig. Hanner awr o rybudd gawson nhw, gyda'r dewis o ffoi neu gael eu cludo i wersyll Natsïaidd a'u lladd. Roedd ganddyn nhw dŷ hardd a llond y lle o ddodrefn a meddiannau gwerthfawr. Ond ffoi fu raid — gafael mewn ychydig bethau a mynd. Lluniau'r wyrion, rhosyn o'r ardd, Beibl, llythyrau dyddiau caru, a dyna ni. Welson nhw fyth mo'u tŷ na'u pethau eto, ond mi aethon nhw â'u hatgofion gyda nhw.

Oes angen yr holl bethau a gludwn ni gyda ni ar ein taith drwy fywyd, tybed? Rydyn ni'n ddigon parod i ganu 'Nid wy'n gofyn bywyd moethus', ond ar yr un pryd yn treulio'n bywydau yn gweithio'n egnïol tuag at gael tŷ crand, car sgleiniog, set deledu lliw enfawr, dillad o'r steil diweddaraf, a gwyliau tramor. Ydych chi'n cofio geiriau Crist? 'Na thrysorwch i chwi drysorau ar y ddaear lle mae gwyfyn a rhwd yn llygru . . . eithr trysorwch i chwi drysorau yn y nef. Canys lle y mae eich trysor, yno y bydd eich calon hefyd.'

Luther a ddywedodd yntê: 'Yr hyn y mae Dyn yn ei garu, dyna ei Dduw. Mae'n ei gario yn ei galon, mae'n ei ddwyn gydag e ddydd a nos, mae'n cysgu a deffro gydag e; beth bynnag yw e, cyfoeth, eiddo, pleser neu enwogrwydd.' A dyna pam mae Crist yn ychwanegu'r geiriau hyn: 'Y llygad yw cannwyll y corff, felly os bydd dy lygad yn iach, bydd dy gorff yn llawn goleuni. Ond os bydd dy lygad yn sâl, bydd dy gorff yn llawn tywyllwch.'

Mae gofyn i'r Cristion gadw'i lygad ar un peth yn anad dim arall — os yw dyn a'i fwriad ar wasanaethu Duw a'i blesio ef ym mhob dim — bryd hynny bydd ganddo gymeriad a fydd yn gyson loyw.

Arglwydd Dduw ein Tad, cadw ni rhag pwyso gormod ar bethau'r byd hwn. Boed i ni fedru hoelio'n sylw arnat ti yn dy fab Iesu Grist. Cymorth ni, cadw ni heddiw ein Tad, a bendithia ni yn ein hymdrechion i ddeall dy fyd a'th ddarpariaeth ar ein cyfer. Er mwyn Iesu Grist. Amen.

(Mehefin 1990)

Addewidion Dibynadwy

Adeg o addewidion fu hi yn ystod yr wythnosau diwethaf yma; addewidion call a dwl gan lu o wleidyddion yn y rhyfel geiriau sy'n cynhyrfu cymaint ar y dyfroedd etholiadol. Mi glywais ambell addewid od iawn, megis ymateb un ymgeisydd i'r cwestiwn bythol wyrdd hwnnw, sut y cadwai'r rheilffordd yn agored rhwng dau bentref anghysbell. 'O, brwydro a brwydro i'w chadw,' oedd yr addewid pendant, i fonllefau o gymeradwyaeth a chwerthin gan nad oes, ac na fydd byth, reilffordd rhwng y ddau le. Ydych chi'n cofio'r cwpled a ysgrifennodd rhywun am wleidydd arbennig:

Count not his broken pledges as a crime,
He meant them, how he meant them — at the time.

Sinicaidd yntê? Ond efallai bod elfen fach o wirionedd ynddo. A ninnau'n cael blas ar ddilorni'r gwleidydd druan, er bod yr un beiau'n perthyn iddo fo, yn y bôn, ac sy'n eiddo i ni. Onid rhywbeth yn debyg ydyn ni i gyd? Ac onid ydi'r 650 o Aelodau Seneddol yn ddrych o'r math o bobol sy'n byw ar yr ynysoedd hyn, ein cryfderau ni i gyd, a'n gwendidau hefyd? Ac oherwydd hynny, yn haeddu'n parch, ein cariad a'n cydymdeimlad, gymaint ag unrhyw un arall.

Un a addawodd lawer i ni, yn ei gariad, oedd Iesu Grist. Na, doedd o ddim yn wleidydd, er mor berthnasol yw ei eiriau i wleidyddiaeth. Mab Duw oedd y dyn hwn, medd y Beibl, yn siarad â ni ar ran y Tad, ac mae ei addewidion yn sefyll yn oes oesoedd yn gyfamod rhwng Duw a'i bobol. Ac mae yna gysur a sicrwydd i ni ynddyn nhw. Clywch ambell un: 'Ond ceisiwch yn gyntaf deyrnas Dduw, a'i gyfiawnder Ef, a rhoir y pethau hyn i gyd' — sef anghenion bydol — 'yn ychwaneg i chwi.' Mor wych y mae Duw yn darparu ar ein cyfer ni i gyd. Gresyn yntê, fod dyn, yn wleidydd ac yn filwr, yn ymyrryd â'i ddarpariaeth mor aml.

'Dewch ataf fi, bawb sy'n flinedig ac yn llwythog, ac fe roddaf fi orffwystra i chwi.' Dyna brofiad miloedd o Gristnogion ar hyd yr oesoedd.

'Ac yn awr yr wyf fi gyda chwi bob amser hyd ddiwedd y byd.' Onid oes yna gysur o wybod hynny?

Un arall — a detholiad bach iawn sydd gen i yma. 'Arhoswch ynof fi, a minnau ynoch chwi. . . . Y mae'r hwn sydd yn aros ynof fi, a minnau ynddo ef, yn dwyn llawer o ffrwyth oherwydd ar wahân i mi ni allwch wneud dim.'

Mae addewidion Iesu Grist o dragwyddol bwys i ni i gyd. Gadewch i ni ddarllen ei air a'u cofleidio *nhw* y bore yma. Mi roddan nhw ystyr i fywyd, blas ar fyw, llawenydd, sicrwydd a chysur i ni i gyd.

(Mehefin 1987)

A Fo Ben Bid Bont

Mi gefais fy synnu yr wythnos ddiwethaf pan glywais stori am Fendigeidfran go iawn. Roedd y papurau i gyd yn llawn o hanes trychinebus Zeebrugge a suddo'r llong fferi yr *Herald of Free Enterprise* ac yno, yng nghanol yr holl straeon, roedd stori am un gŵr a oedd wedi gorwedd ar ei hyd dros fwlch yn y llong er mwyn i ugain person gael cerdded drosto i ddiogelwch. Mae yna lawer o straeon gwych am arwriaeth pobol y noson honno, am wychder a chyflymder y gwasanaethau achub yng Ngwlad Belg ac am frawdgarwch y morwyr a aeth â theithwyr oer, gwlyb a oedd mewn cyflwr o sioc i'w cartrefi eu hunain i'w hymgeleddu. Ond mae stori'r Bendigeidfran yn hanesyn rhyfeddol. Os bu enghraifft erioed o ddyn yn ein dydd ni yn ei wneud ei hun yn was er mwyn lles eraill, dyma hi.

Roedd y stori'n dwyn i gof hanes Alexander Russell, un o gannoedd o filwyr ar fwrdd y llong filwyr *Birkenhead* a drawodd graig oddi ar arfordir De Affrica ar y chweched ar hugain o Chwefror 1852. Aeth y merched a'r plant i'r cychod a chafodd Alexander Russell orchymyn i fod yn gapten ar un o'r cychod hyn. Wrth i'r cychod gychwyn ymaith, aeth y *Birkenhead* i lawr a llanwyd y môr â dynion yn gweiddi ac yn sgrechian am help. Gwaeddodd un o'r gwragedd yng nghwch Russell, 'Dyna 'ngŵr i fan'na — achubwch o!' Syllodd Russell ar y dychryn yn ei llygaid ac ar yr ymbil yn llygaid ei gŵr a oedd ar fin boddi. Cododd o'i sedd a neidiodd i'r môr. Rhoddodd gymorth i godi gŵr y ddynes i'r cwch — a oedd yn orlawn, wrth gwrs — ac yna trodd, a nofio i ffwrdd. Welodd neb mohono fyth wedyn. Mi wyddai o'r gorau ei fod yn aberthu ei fywyd er mwyn un arall — er mwyn teulu cyfan — ac wrth wneud hynny roedd o, yn fwriadol neu'n anfwriadol, yn efelychu'r Iesu a ganiataodd i'w fywyd gael ei aberthu fel y câi teulu Duw fywyd trwyddo Ef.

Dduw ein Tad a Thad ein Harglwydd Iesu Grist a'n dysgodd i roi eraill o'n blaen ni'n hunain ac a roddodd ei fywyd er ein mwyn, caniatâ i ni ystyried bob amser anghenion eraill a bod yn barod i wasanaethu yn dy Enw di. Amen.

(Mawrth 1987)

Y Wir Eglwys

Mi fu, ysywaeth, gryn dipyn o drais yng Ngogledd Iwerddon yn ystod y misoedd diwethaf, ac mewn un cylchgrawn enwadol a gyhoeddwyd yn ddiweddar roedd hanesyn yr hoffwn i ei rannu gyda chi. Ychydig ddyddiau cyn y Nadolig diwethaf ffrwydrodd bom ym Melffast a chwythu'r to oddi ar eglwys fechan. Roedd yr IRA wedi gosod ffrwydron lawer mewn bws mini ac wedi'i barcio y tu allan i orsaf yr heddlu yn Lisburn Road. Chwalwyd hwnnw'n rhacs, a'r eglwys y drws nesaf a channoedd o ffenestri trwy'r ardal i gyd. Mewn gwasanaeth yn ddiweddarach, bu'r gweinidog yn diolch i Dduw na chafodd neb ei anafu na'i ladd, ac eisoes mae'r wir Eglwys — y bobol sy'n addoli yn y fan honno — wedi dechrau ailadeiladu. 'Er bod yr adeilad wedi'i ddistrywio'n llwyr,' meddai'r gweinidog, 'mi fydd yr Eglwys go iawn, y Cristnogion sy'n addoli fan hyn, yn parhau i dystiolaethu am eu ffydd yn Iesu Grist yn yr ardal dlawd hon o'r ddinas.'

Yn dilyn yr adroddiad a ddarllenais i roedd un arall gan barchedig ŵr a oedd wedi ymweld â'r eglwys yn fuan wedi'r ffrwydrad, a dyma'i eiriau yntau:

'Mi barciais filltir i ffwrdd a cherdded at yr eglwys. Roedd anialwch o le yno ym mhob man — darn o fetel gwyn a fu'n rhan o'r bws mini ar y palmant, gwydr wedi torri, llechi'n deilchion. Yna, mi sylwais i ar adnod yn hongian ar wal yr eglwys — go dda, doedd hyd yn oed y bom ddim wedi symud yr adnod! O 'nghwmpas i roedd mwg, tân yn llosgi o bibell nwy wedi'i thorri ar y stryd, dynion tân yn chwistrellu dŵr, heddlu ym mhobman, dynion camera a gwŷr y BBC yn holi gwleidyddion lleol ynghylch eu "hadwaith". Roedd yna wfftio a chondemnio, ac yng nghanol hyn i gyd, pobol yn siopa 'Dolig yn ddigon di-hid. Ond yr adnod yna a ddenodd fy sylw i fwyaf. Beth oedd y geiriau?

Yr hwn y mae'r Mab ganddo, y mae'r bywyd ganddo; yr hwn nid yw mab Duw ganddo, nid yw'r bywyd ganddo.'

A dyna ddisgrifiad o'r wir Eglwys, meddai'r gweinidog hwn. Dim ond adeilad yw'r adeilad. Mae'r Eglwys yn llawer mwy na hynny. Pobol Dduw yw hi. Roedd y bobol hyfryd hyn yn awr yn ceisio datrys eu problemau yn y lle hwn gan ymddiried yn Nuw. Roedd ganddyn nhw fywyd — y bywyd newydd y mae Crist yn ei roi.

Dduw ein Tad, rho fywyd newydd i ni, dy fywyd newydd Di, y bore yma. Amen.

(Ebrill 1987)

Dyn Bach yn Ddyn Mawr

Bore da. Cefais fy atgoffa'n ddiweddar y gall dynion bach fod yn ddynion mawr. Roedd rhywun wedi ysgrifennu yn *Y Cymro*, flynyddoedd yn ôl, hanes y milwr rydw i'n astudio ei yrfa ar hyn o bryd. Y pennawd ar dop yr erthygl oedd hwn: 'Milwr bach o Gymro'. Ond pan gefais i'r fraint o fynd ati i astudio'r dogfennau oedd yn ymwneud â gyrfa'r brawd ym myddin yr Unol Daleithiau, dyma a gefais fel disgrifiad ohono — '*Hair black, Eyes blue, Height six foot six — the tallest man in the regiment*'!

Mae Andreas, un o ddisgyblion yr Iesu, yn ddyn bach o ran ei safle yn y Testament Newydd. Does dim llawer yn hysbys amdano. Fu o erioed yn bregethwr mawr nac yn 'sgwennwr mawr — roedd eraill o'r disgyblion yn fwy dawnus nag ef o lawer. Ond roedd o'n medru gwneud un peth yn dda iawn — roedd o'n dod â phobol at Iesu Grist. Clywch Ioan yn ei ddisgrifio:

'Andreas, brawd Simon Pedr, oedd un o'r ddau a aeth i ganlyn Iesu ar ôl gwrando ar Ioan. Y peth cyntaf a wnaeth hwn oedd cael hyd i'w frawd, Simon, a dweud wrtho,"Yr ydym wedi darganfod y Meseia" (hynny yw, o'i gyfieithu, Crist). Daeth ag ef at yr Iesu.'

Adeg porthi'r pum mil, wedyn, Andreas sy'n dwyn y bachgen ifanc at Iesu. 'Y mae bachgen yma a phum torth haidd a dau bysgodyn ganddo.' A'r un hanesyn arall — ychydig o hanes sydd amdano ef — yw iddo ddod â chriw o Roegiaid at yr Iesu. Gofynnodd y rhain am gael gweld yr Iesu ac aeth Andreas a Philip i ddweud wrth yr Iesu. Felly, er mai cymharol ychydig o sôn sydd am Andreas, gwyddom, oni bai amdano ef ni fyddai Pedr, pregethwr mawr y Pentecost, wedi cyfarfod â'r Iesu. Byddai'r pum mil wedi sleifio adre'n llwglyd heb wrando'r neges, a'r Groegiaid hwythau heb weld na chlywed y Gwaredwr. Dywed traddodiad mai Luc oedd un o'r rhain ac, os ydi hynny'n wir, mor fawr oedd cymwynas Andreas. Dyn y gweithredoedd bach a oedd yn dwyn canlyniadau mawr. Milwr bach i Iesu Grist ond cawr yn ei ddylanwad ar ledaeniad yr Efengyl.

Ysgwn i a fedrwn ni, mewn ffordd dawel, ddirodres ddwyn rhywun at Grist fel y gwnaeth Andreas. Os medrwn ni, pwy a ŵyr ym mha fodd y medr Duw ein defnyddio.

Bendith arnoch.

(Mai 1987)

Map Duw

Onid yw'n rhyfedd fel mae un bregeth arbennig yn medru aros yng nghof dyn. Rhyw dair neu bedair blynedd yn ôl roeddwn i'n recordio Oedfa'r Bore yn Llangybi ar gyfer Sul cyntaf y flwyddyn. Y Dr. Tudur Jones oedd yn pregethu, ac wedi seilio'i bregeth ar yr adnod o Salm Naw Deg (o'r hen gyfieithiad),

'Dysg i ni felly gyfrif ein dyddiau fel y dygom ein calon i ddoethineb.'

Nifer cyfyngedig o ddyddiau sydd gynnon ni i'n hoes, meddai'r parchedig brifathro. Beth wnawn ni â nhw? Daeth ei eiriau'n fyw i'r cof wrth imi syllu ar un o'r anrhegion Nadolig a gefais, anrheg y gwyddai fy mrawd, Rhoslyn, a'i deulu a fyddai wrth fy modd — atlas anferth o Ffrainc gan gwmni Michelin. Nid maint y tudalennau oedd yn fy synnu ond manylder y mapiau — yr holl fapiau ardal yna o Ffrainc a welwch ar werth mewn siopau llyfrau wedi eu crynhoi i un atlas mawr. Ac wrth syllu trwy'r tudalennau — rwyf wrth fy modd yn 'darllen' map — gwelwn y fan a'r lle wedi'i farcio lle digwyddodd y peth a'r peth i mi — y darn o drafodd ger Monte Carlo lle disgynnodd peipen ecsôst fy fan Morus Mil ar lawr; y dref yn Llydaw lle rhuthron ni i mewn i westy i ddianc rhag y glaw a chael diferion o'r un glaw yn disgyn ar fy nhrwyn yn y gwely; yr orsaf lle bûm, yn fachgen ifanc, yn gwylio trenau'n rhuo drwyddi ar dros gan milltir yr awr; y *Stade Colombes* lle bûm i'n gwylio'r Cymry'n chwarae yn erbyn Ffrainc. O, dyddiau dedwydd oedd y rheini.

Ond mae yna bwrpas arall dros graffu ar fap 'does? Nid hiraethu am y dyddiau a fu ond cynllunio'r rhai a ddaw. I ble'r awn ni? Lle sydd yna nad ydw i wedi bod ynddo? Y Dordogne, y Massif Central, St Tropez, Marseilles— dim ond wedi gwibio heibio i'r rheini rydw i, ac mae gen i lawer i'w ddysgu amdanyn nhw. Ac wrth syllu ar y map, mi gaf freuddwydio a dychmygu, darllen ac ymchwilio, ac yna gweithredu gan anelu trwyn y motor tua'r porthladdoedd pan ddaw'r haf.

Rhoddodd Duw hefyd fap i mi, ac yn ei ffordd mae hwnnw mor lliwgar hyfryd ag unrhyw fap daearol. Mi fedrwn ni weld lle buon ni fel dynoliaeth, yn yr un math o drybini fel rheol ac yr ydyn ni ynddo rŵan, ein beiau a'n gwendidau wedi tanseilio'n llawenydd ni ar hyd y canrifoedd. Ond mae yna rywbeth mwy yma na dweud y drefn am fywyd pechadurus a fu — mae yna gynnig rhywbeth i'r dyfodol hefyd: bywyd tragwyddol i'r sawl sy'n credu yng Nghrist ac sy'n fodlon edifarhau am ei ddrwgweithredoedd. Mae o mor syml â hynny: ymddiheuro, a chredu. Ac i fynd yn ôl am funud at yr adnod honno a ddyfynnais i gynnau fach, 'Dysg i ni felly gyfrif ein dyddiau fel y dygom ein calon i ddoethineb.' Sut mae dyn yn dwyn ei galon i ddoethineb? Mae gen i syniad go lew mai trwy ddarllen y map a luniwyd gan y cwmni sydd â'r potensial o fod y cwmni mwyaf posib i ni — y Tri yn Un — Duw y Tad, Iesu Grist a'r Ysbryd Glân.

(Dydd Calan 1988)

Cynllun a Threfn

Bore da iawn i chi. Peth rhyfedd ydi bywyd. Ysgwn i a ydych chi fel fi wedi gofyn i chi'ch hunan, 'Be gebyst ydw i'n ei wneud fan hyn? Beth ydi pwrpas fy mod yma?'

Rydw i'n cofio cael y profiad yn gryf iawn un nos Sul a minnau'n recordio Cymanfa Ganu ym mhen draw sir arbennig. Roedd y dre yn ddiarffordd, y fan recordio'n oer, y canu'n sâl, a smwclaw oer yn barod i dreiddio'i leithder drwy fy siwt a'm gwlychu at fy nghroen pe mentrwn i'r capel i annog gwell canu. A dyna'r teimlad a ddaeth i mi — Be' gebyst ydw i'n ei wneud fan hyn?

Mi fyddai'r Cristion yn dadlau ein bod ni yma, debyg, i bwrpas. Ein bod ni wedi'n creu gan y Duw a greodd y byd yma, a'n bod ni yma i fod yn blant ac yn gyfeillion iddo, i glodfori ei enw ac i ddwyn tystiolaeth iddo. Ac, ys dywedodd ei Fab, Iesu Grist, rydyn ni yma i fod yn halen y ddaear — i roi blas ar fyw i bobol eraill — ac i fod yn oleuni i'r byd.

Ond mae llawer o bobol yn dadlau yn erbyn hyn. Daeth y byd i fodolaeth trwy ddamwain, medden nhw, a thyfodd a datblygodd popeth ohono'i hun. Dim (mwy neu lai) yn troi'n *rhywbeth*, trwy siawns, hap a damwain dros gyfnod maith o amser, megis, ac yna'n troi'n bopeth sy'n bod heddiw, yn fôr a mynyddoedd, yn bobol a chreaduriaid gyda'u holl gymhlethdodau. Wel, mae'n ddrwg gen i, i mi mae yna gymaint o wychder yn ein creadigaeth ni, mae'n well gen i dderbyn y theori fod yna artist y tu hwnt o ddeallus wedi creu'r cyfan na bod y cwbwl wedi dod o ddim. Mae Arfon Jones yn ei lyfr *Llefara, Arglwydd*, yn adrodd hanes Kepler y seryddwr a oedd yn poeni am gyflwr ysbrydol cyfaill. Dadlau roedd y cyfaill fod y byd wedi dod i fodolaeth ohono'i hun. Adeiladodd Kepler fodel hardd o'r haul gyda'r planedau yn troi o'i gwmpas. 'Bobol bach,' meddai'r cyfaill pan welodd o'r model. 'Anhygoel. Pwy wnaeth o?'

'Neb,' meddai Kepler, 'mi wnaeth ei hun.'

'O tyrd yn dy flaen, pwy wnaeth o?'

Ac ateb Kepler oedd, 'Gyfaill, rwyt ti'n dweud na allai'r tegan bach yma ei wneud ei hun ac eto rwyt ti'n fodlon credu fod y bydysawd rhyfeddol yr ydym yn rhan ohono wedi ei greu ei hun!'

'Y nefoedd,' medd Dafydd yn Salm un deg naw, 'sydd yn datgan gogoniant Duw, a'r ffurfafen sydd yn mynegi gwaith ei ddwylo ef.'

A dim ond rhan o ddatguddiad Duw ydi gwychder ei greadigaeth. Ymhle, feddyliwch chi, y cawn ni hyd i'r gweddill? Chi piau dyfalu!

Da boch chi.

(Hydref 1987)

Y Mecanic Dwyfol

Rydw i am droi at un o fy hoff bynciau heddiw — ceir modur. Wn i ddim sut na pham ond mae'r clwy motors wedi gafael ynof i er yn blentyn, ac yn fy mrodyr hefyd. Rhyw *mania* teuluol, debyg, a'r awydd i deithio ac i fwynhau ein hunain yn moduro wedi'i etifeddu drwy deulu 'Nhad a theulu Mam. Dysgais yrru pan oeddwn yn ddwy ar bymtheg oed, prynais fy ngherbyd cyntaf yn bedair ar bymtheg ac mi fûm yn gyrru pob math o gerbydiach (rydw i'n lecio'r gair hwnnw, ydach chi?) yn gyson ers y dyddiau hynny.

Ond mae un cerbyd wedi peri cryn benbleth imi'n ddiweddar. Fifi ydi'i enw fo — neu hi, erbyn meddwl — a char fy ngwraig ydi'r teclyn, i fod. Deuthum o hyd i'r brawd, neu'r chwaer, y tu ôl i garej ym Mhen-y-groes. Modur o Ffrainc, o wneuthuriad nid anenwog, a'r plât ar ei gefn yn cyhoeddi fod y talp hyll yn '*Ami Super*'. Roedd yr enw'n apelio — *Ami Super* — cyfaill gwych!

Ond O! y drafferth. Roedd o wedi bod yn ei unfan am bum mlynedd ac er gwaetha'r ffaith fod ei injan yn newydd sbon, fedrwn i ddim ei chael i redeg yn iawn. Fe wna'r rhain bron i gan milltir yr awr os ydyn nhw mewn cyflwr da, ond wnâi hwn ddim, dim ond llenwi'r car â mwg cas ac arogl hyll arno, mwg y gwyddwn i'n dda oddi wrth ei arogl ei fod yn dod o waelod yr injan, o'r rhan a elwir yn *crank-case*.

Wel, mi geisiodd tipyn o bawb ddarganfod beth oedd

yn bod, garejys a chyfeillion gwybodus fel ei gilydd. O'r
diwedd euthum at gyfaill i mi sy'n dipyn o ddewin
gyda'r ceir Ffrengig yma — Geraint Cartwright o
Drawsfynydd. Ac mi gafodd yr hen Ger hyd i'r hyn
oedd o'i le. Y cylchoedd hynny sy'n amgylchynu'r
pistonau yn yr injan, ar ôl sefyll yn eu hunfan cyhyd,
oedd wedi gwanio a cholli'u sbring, ac yn gollwng y
nwyon drewllyd heibio wrth deithio i fyny ac i lawr y
bôr.

Ydyn ni'n dau, chi a minnau, wedi gwanio a cholli'n
sbring yn ysbrydol y bore 'ma? Efallai'n bod ni'n teimlo
ymhell oddi wrth Dduw am nad ydyn ni wedi gweddïo
ers cyhyd. Ond rydw i'n siŵr o un peth: fod yr enaid
gweddigar, fel yr injan, yn gweithio'n well ac yn rhoi
llawer mwy o foddhad i'w berchennog o gael ymarfer
cyson.

Pob bendith.

(Medi 1987)

Ein Codi o Farw'n Fyw

Flynyddoedd mawr yn ôl, mewn pwll glo yn Ne Cymru am wn i, roedd yna weinidog yn cenhadu ymysg y glöwyr, a'i ddull o wneud hynny oedd mynd atyn nhw i lawr yn y pwll tra bydden nhw'n bwyta'u pryd bwyd ar ganol shifft. Siaradai'n syml ac yn effeithiol â nhw am waith Duw yn achub dyn rhag mynd i golledigaeth, ac yna dychwelai at y lifft i esgyn yn ôl i'r wyneb unwaith eto. Un diwrnod cafodd ei dywys at y caets gan fforman y gweithwyr, a chan fanteisio ar ei gyfle gofynnodd:

'Be 'dach chi'n feddwl o'r hyn oedd gen i i'w gynnig i chi?'

Ystyriodd hwnnw — 'Mae'r hyn sy'n cael ei gynnig yn y Beibl, yr iachawdwriaeth 'ma, yn rhy rad. Alla i ddim credu yn hwnna o gwbwl. Ma' fe'n rhy tshêp, yn rhy rwydd rywsut.'

'Dwedwch wrtho i,' meddai'r gweinidog yn dawel, 'sut 'dach chi'n dod allan o'r lle 'ma?'

'Mynd lan yn y lifft.'

'Ydi hi'n cymryd amser mawr i gyrraedd yr wyneb?'

'Nag yw, ychydig eiliadau.'

'Oes angen i chi wneud unrhyw beth i godi'ch hunain?'

'Nag oes siŵr. Y cyfan sy' raid i ni ei wneud yw cerdded i mewn i'r lifft.'

'Ydych chi'n gwybod rhywbeth am y bobol wnaeth y lifft 'ma? Gawson nhw drafferth?'

'Do, do. Mae'r siafft yn ddeunaw can troedfedd o ddyfnder ond fe fu'n rhaid ei wneud neu fydden ni byth yn gallu cyrraedd yr wyneb.'

'Mi dd'wedsoch chi'r gwir yn fan'na,' meddai'r gweinidog. 'Ac eto, pan fydd gair Duw yn dweud wrthych chi fod pwy bynnag sy'n credu yn yr Iesu yn cael bywyd tragwyddol, rydach chi'n dweud fod hynny'n rhy . . . rad rywsut. Ond rydych chi'n anghofio, gyfaill, ei bod hi wedi costio'n ddrud ddychrynllyd iddo Fo i'ch codi chi o bwll pechod ac anobaith. Mi gollodd ei Fab ei waed er eich mwyn chi, er mwyn i chi gael cynnig dihangfa.'

Dduw ein Tad, diolch i ti am y cynnig sydd yn dy Air di — y cynnig o fywyd tragwyddol i bob un ohonom. Cynorthwya ni i dderbyn dy gynnig, ein Tad, fel y cawn ni etifeddu'r bywyd tragwyddol yr wyt ti'n ei gynnig i ni, a llawenhau yn dy gwmni a'th gariad yn y bywyd hwn. Amen

(Chwefror 1988)

Teimlo'n Hoed

Sut hwyl sydd arnoch chi'r bore 'ma? Eitha da? Rydw i'n falch o glywed hynny achos rydw i wedi bod yn eitha stiff yn codi'r dyddiau diwetha 'ma. Fy oed i ydi o mae'n debyg. Mi fydda i'n ddeugain ymhen rhai misoedd ac yn cael ychydig ar y naw o ymarfer corff, i'r fath raddau fel fy mod i wedi dechrau cerdded milltir neu ddwy bob nos er mwyn ceisio cadw'n fwy heini. Ers rhai blynyddoedd sylwais ar fy nghyfeillion, o basio'r deugain, yn rhuthro allan i loncian neu farchogaeth beic, a chael cryn ddifyrrwch o'u gweld yn eu trowsusau bach yn ceisio rhoi taw ar lais amser. A dyma fi, bellach, yn lled fygwth ymuno â nhw er syndod i mi fy hun. Henaint, ys dywedodd rhywun, ni ddaw ei hunan.

Ond mae yna gysur bob amser i'r Cristion sy'n teimlo ei fod o'n heneiddio. Dewch gyda mi am dro y bore 'ma i ganol ail lythyr Paul at y Corinthiaid. Dyma a ddywed o: 'Am hynny, nid ydym yn digalonni. Er ein bod o ran y dyn allanol yn dadfeilio, o ran y dyn mewnol fe'n hadnewyddir ddydd ar ôl dydd ... Gwyddom, os tynnir i lawr y babell ddaearol hon yr ydym yn byw ynddi, fod gennym adeilad oddi wrth Dduw, tŷ nad yw o waith llaw, sydd yn dragwyddol yn y nefoedd.'

Ie, diddorol yntê? Sôn y mae Paul am y lleoedd hynny y mae Duw wedi'u paratoi ar gyfer eneidiau ei bobl. Mae'n cymharu ein cyrff presennol ni â phebyll, pethau dros dro, nad ydyn nhw ddim wedi cael eu hadeiladu i barhau. Ond mae'r tŷ nefol sy'n ein haros yn cael ei bortreadu'n *adeilad* cadarn, cryf, rhyfeddol o drigfan gan nad dyn sydd wedi'i godi, ond Duw. Ac fe â Paul ymlaen i sôn am ofal Duw amdanon ni yn yr adeilad hwnnw. Bydd yn ein gwisgo mewn mantell wych o anfarwoldeb wedi'i llunio â'i law ei hun. Does dim disgrifiad manwl, cofiwch; mae'n siŵr fod yn rhaid disgwyl am y profiad ei hun i wybod yr hyn fydd o.

Ydyn ni'n teimlo'n hoed y bore 'ma? Twt! Gadewch i ni dderbyn gwahoddiad yr Iesu ac ystyried degawdau'n gerrig milltir ar y ffordd i'r Gogoniant. Hwyl!

(Mehefin 1987)

Y Sylfaen Gadarn

Bore da. Bob blwyddyn, mi fydda i'n mynd ar ryw fath o bererindod yn ôl i weld y tŷ lle cefais fy ngeni. Rhif un, Greenhill, Pontycymer, ynghanol cymoedd Morgannwg. Dyffryn cul yw Cwm Garw, a thai glöwyr wedi'u codi yn rhesi ar hyd bob ochor; yn wir, yr unig le fflat yw'r ffordd fawr sy'n arwain at bentref Blaengarw ym mhen ucha'r cwm, y rheilffordd a'r afon a oedd, yn nyddiau fy mhlentyndod, yn ddu, ddu o lwch y glo. Clywais rywun yn dweud unwaith fod llethrau'r cwm lle saif Pontycymer mor serth nes bod modd i drigolion y naill ochor ysgwyd llaw â phreswylwyr y tai ar yr ochor arall. Wel, go brin fod hynny'n wir, ond roedd y mynydd y tu ôl i'n tŷ ni mor uchel fel ei bod hi'n fachlud arnon ni tua dau y prynhawn, a'n dilèit mawr oedd cael mynd i Ogmore by Sea weithiau ar fin nos o haf i weld yr haul eto!

Rhyw dai digon simsan oedd yn ein rhes ni. Y ddau dŷ pen, Brynheulog a Brynhyfryd, os ydw i'n cofio'u henwau'n iawn, yn dai o frics coch ac yn gadarn iawn yr olwg. Ein tŷ ni, wedyn, yn dŷ cerrig, a dau dŷ llai yn pwyso arno o'r ochor. A phwyso ar ei gilydd fyddai llawer o'r tai yno, am fod yr hen weithfeydd glo wedi tanseilio cynifer o adeiladau. Un, dau, tri Greenhill oedd ein tai ni a rhifau saith, wyth a naw yn eu dilyn ymhen ychydig, ond yn y bwlch rhyngddyn nhw roedd tomen fawr o rwbel — y cyfan a oedd yn weddill o rifau pedwar, pump a chwech. Roedd hen dwnnel tan-ddaearol, gannoedd o droedfeddi islaw, wedi mynd â'i ben iddo a'r tri thŷ uwchben a fu'n gartrefi, efallai, i rai o'r coliars a wnaeth y twnnel, wedi disgyn yn domen flêr o gerrig a fframiau ffenestri, ac yn lle chwarae bendigedig i blentyn wyth oed.

Mae seiliau'n bwysig. Seiliau cadarn i'n tai a seiliau cadarn i'n bywydau i'n cynnal pan fydd gofalon byd yn pentyrru arnon ni, a phoen a phrofedigaeth yn cipio'r llawr oddi tanon ni.

Dywedodd Iesu, 'Pob un felly sy'n gwrando ar y geiriau hyn o'r eiddof ac yn eu gwneud, fe'i cyffelybir i ddyn call a adeiladodd ei dŷ ar y graig.' Onid ei eiriau ef yw'r graig gadarnaf y medrwn ni seilio'n bywyd arni?

(Hydref 1987)

Ar Lan y Môr

Helô 'na. Roeddwn i'n darllen yn *Y Cymro* mai tywydd mis Mehefin eleni oedd y salaf erstalwm, ac roeddwn i'n falch o weld Gorffennaf yn cychwyn. Gorffennaf wir, dyna i chi enw ar fis sydd wedi cychwyn arni â thywydd a fu'n grasboeth o bryd i'w gilydd. Sut mae hi heddiw, tybed? Mae 'na ymadrodd hyfryd i ddisgrifio tywydd ar ddechrau dydd pan fedr fynd yn hindda neu'n ddrycin: rhyw dywydd 'be wna i' yntê.

I lan y môr yr aeth y wraig a'r plant yr wythnos ddiwethaf. Peth digon masochistaidd i'w wneud yn fy marn i: rydw i'n gochyn ac yn llosgi'n hawdd pan fydd yr haul yn danbaid. Gorfod chwilio am ryw chwe throedfedd o dywod go lân i barcio'r corff, y bwced a'r rhaw a'r holl geriach a chael tywod yn crensian rhwng ein dannedd wrth fwyta'r brechdanau ac yn rhedeg yn afon fach ar hyd y tudalennau rydych chi'n ceisio'u darllen. A'r môr yna wedyn, yn cropian i fyny'r traeth yn ddireidus i gosi bysedd eich traed a gwneud i chi hel eich paciau i rywle arall.

Ond wedi dweud hynny, mae yna fwynhad i'w gael o dreulio diwrnod ar lan y môr, a chyfle i ail-fyw ambell bleser o'ch plentyndod coll. Porthcawl, Langland, Oxwich a'r Mwnt — padlo, pysgota efo rhwyd ac adeiladu cestyll ar y tywod yn ogystal ag yn yr awyr.

Mae'r lleoliad wedi newid erbyn heddiw a'r genhedlaeth nesa'n cael eu difyrru yn sŵn tonnau Dinas

Dinlle, Aberdaron, Aberffraw a Benllech. Roedd yr hynaf wrthi'r diwrnod o'r blaen yn codi clamp o gastell a'i addurno â cherrig a gwymon ac yna gwneud ffos o'i gwmpas — yn barod i ddal dŵr y môr yn dod i mewn? O, na, roedd milord yn trotian yn ôl a blaen i ymyl y dŵr efo'i fwced, yn tywallt ei llond i'r ffos ac yn methu'n lân â deall pam nad oedd y ffos yn llenwi. Ond o'r diwedd, wedi hir ddisgwyl, cyrhaeddodd y môr y castell a gorlenwi'r ffos mewn amrantiad.

Ac felly y mae hi mewn bywyd pan fyddwn ni'n rhygnu ymlaen yn ein nerth ein hunain. Dim llawer yn digwydd. Fawr o lwyddiant. Ond os gadawn ni i foroedd gallu a chariad Duw olchi trosom a thrwom, gall y rheini drawsnewid unrhyw sefyllfa a rhoi nerth arbennig i ni i gario ymlaen a brwydro, beth bynnag yw tristwch neu ddigalondid yr amgylchiadau.

O Dad, anfon donnau dy ras a'th gariad aton ni'r bore yma. Amen.

(Gorffennaf 1987)

Darllen y Print Mân

Bore da i chi. Wel, mi gefais i fodd i fyw yr wythnos ddiwethaf. Wedi teithio i Lundain ar y trên roeddwn i i nôl y plant, a oedd wedi bod ar eu gwyliau yn nhŷ Dad-cu a Mam-gu yn Surrey. Penderfynais ddal y trên deng munud i naw adref, ar fore Sul. 'Popeth yn iawn,' meddai fy Nhad-yng-nghyfraith, 'Mi a' i â chi i orsaf Euston.' A dyma gytuno ar hynny.

Ac felly, am chwarter wedi wyth fore Sul, cerddais i mewn i'r *concourse* yn Euston. Syllu'n reit flinedig ar bawb a cherdded at yr amserlen. Roeddwn wedi gadael fy nghar yng Nghyffordd Llandudno, felly dyma fwrw golwg ar y darn hwnnw o'r hysbysfwrdd a oedd yn cyhoeddi amseroedd 'Trenau i Gyffordd Llandudno'. Deng munud i naw. I ffwrdd â mi i chwilio am blatffform un deg pedwar, yn cario cesys, a'm dau ges bach yn trotian y tu ôl i mi, y ddau'n falch iawn o bobo rycsac ar eu cefnau yn cynnwys eu pyjamas ac ati.

Go brin bod angen eich diflasu chi â manylion am y daith bum awr ond wedi cyrraedd arfordir y gogledd dyma ddechrau pryderu tipyn bach. Dyna ni'n gwibio heibio Prestatyn heb stopio; heibio i'r Rhyl, Abergele, Bae Colwyn. A fydden ni'n sefyll yng Nghyffordd Llandudno? Breciodd y trên wrth agosáu at yr orsaf; codais y plant o'u sedd, y cesys o'r tu ôl i amryw gadeiriau a stryffaglio tua'r drws. Arafodd y trên ac yna, gyda dwndwr mawr, rhuodd drwy'r orsaf a'i heglu hi am Fangor!

Yno, yn ffodus, roedd yna drên i gyfeiriad Llundain yn ein disgwyl a chyn pen chwinciad roedden ni yn ôl yng nghyffiniau Llandudno eto. Ond fedrwn i ddim peidio â chwerthin pan gyhoeddodd Aled yn y car ein bod ni bellach yn mynd heibio i'r twnnel newydd rhwng Conwy a Phenmaen-mawr am y drydedd waith!

Nawr, pe bawn i wedi oedi i ddarllen y print mân ar yr amserlen yn Euston, buaswn wedi gweld fod angen newid i drên arafach yn Crewe. Mae llawer un wedi talu'n ddrud iawn cyn heddiw am beidio â darllen y print mân. Tybed nad ydyn ni, rai ohonon ni, yn edrych ar air Duw fel print mân nad yw'n berthnasol i'n taith ni trwy fywyd? Anffodus a dweud y lleiaf fyddai peidio â'i ddarllen ac yna canfod i ni wneud camgymeriad o'r mwyaf.

(Gorffennaf 1987)

45

Yr Ymwelydd Dirgel

Yn yr Unol Daleithiau erstalwm, adroddid chwedl am Iesu Grist, a dyma hi:

Roedd yna hen gwpwl o'r enw Chuck a Martha yn byw mewn caban allan yng nghanol gwastatir Arkansas lle mae'r caeau'n ymestyn yn batrwm fflat diderfyn dros ymyl y gorwel i bob cyfeiriad. Roedd hi'n nosi, a neb i'w weld yn cerdded ar hyd y lôn unig oedd yn arwain at ddrws y caban. Y tu mewn, roedd Chuck a Martha'n eistedd o bobtu'r tân yn ddiamynedd, braidd. Roedden nhw wedi gwahodd Crist i swper. Roedd hi'n hwyr. Roedd y cawl yn ffrwtian yn y cawg ar y tân ond doedd dim sôn am Iesu.

Ymhen ychydig daeth hen gardotyn at y drws a gofyn am fwyd. 'Go brin fod gen i ddigon i dri, wir,' sibrydodd yr hen wraig wrth ei gŵr. 'Mi geith fy nghawl i.' Tywalltodd y cawl i'w fasn, llowciodd yntau'r cwbwl, a diflannu, gyda diolch.

Disgwyl wedyn am hir a syllu trwy'r drws gan obeithio gweld Iesu. Yna daeth bachgen ar hyd y ffordd. Roedd dillad hwn yn garpiog hefyd, ei draed yn noeth ac roedd o'n crynu'n ddifrifol, am ei bod hi mor oer.

Edrychodd Chuck ar Martha. 'Does dim llawer o chwant bwyd arna i,' meddai. 'Mi geith o fy swper i.' Felly, tywalltwyd rhagor o'r cawl i fowlen a'i rhoi hi i'r bachgen. Wedi iddo fwyta, fe wnaethon nhw eu gorau i'w berswadio i aros dros nos, ond wnâi o ddim.

Cafwyd hyd i gôt iddo a'i yrru yn ei flaen i ben ei daith.

Rhoddodd Chuck ragor o goed ar y tân er mwyn cadw swper Iesu'n gynnes. O'r diwedd, dyma'i weld yn dod o bell. Cynhyrfodd y ddau yn lân a rhuthro allan yng ngoleuni lleuad damp i'w gyfarch a'i groesawu.

'Iesu,' meddai Chuck, 'rydyn ni wedi disgwyl cyhyd amdanat ti!'

'Roedden ni'n poeni na ddoet ti byth,' meddai Martha.

Chwarddodd Iesu. ''Rydw i wedi bod yma ddwywaith yn barod!' meddai.

Pob bendith.

Cod dy Galon!

Bore da. Yn llyfr yr Actau mae sôn am yr Apostol Paul yn cael triniaeth bur gas gan y Sanhedrin:

'Syllodd Paul ar y Sanhedrin, ac meddai, "Frodyr, yr wyf fi wedi byw â chydwybod lân gerbron Duw hyd y dydd hwn." Ond gorchmynnodd Ananias yr archoffeiriad i'r rhai oedd yn sefyll yn ei ymyl ei daro ar ei geg.'

Wel, go brin fod hynna'n ddechrau da i araith! Wedi iddo gael 'dweud ei ddweud' fe aeth yn ddadl ffyrnig yn y llys rhwng y Phariseaid a'r Sadwceaid a bu'n rhaid i Gapten y milwyr Rhufeinig gipio Paul allan o'r adeilad rhag ofn iddo gael ei ddyrnu'n ddarnau, yn gorfforol, gan ei erlidwyr.

Ond sylwch beth sy'n digwydd nesaf. 'Y noson honno, safodd yr Arglwydd yn ei ymyl, a dywedodd, "Cod dy galon! Oherwydd fel y tystiolaethaist amdanaf fi yn Jerwsalem, felly y mae'n rhaid i ti dystiolaethu yn Rhufain hefyd".'

'Cod dy galon!' — Mae'n rhyfedd gweld dyn mor gadarn yn y ffydd mewn iselder, 'dydi? Paul, a oedd wedi cyfarfod â'r Crist byw ar y ffordd i Ddamascus, a oedd wedi gweld gwyrthiau lu, a oedd wedi gweld ffrwyth aruthrol o'i lafur yn pregethu i'r cenhedloedd — *hwn* angen ei gysuro a'i godi o'r dyfnderoedd?

Roeddwn i'n darllen beth amser yn ôl am hanes James Dean, aelod blaenllaw o Fyddin yr

Iachawdwriaeth yn Awstralia. Roedd o'n arweinydd cadarn ac yn Gristion ymroddedig ac eto mae'n datgelu yn ei ddyddiadur ei fod o'n aml yn cael ei lethu gan anobaith ac iselder.

'Mi chwiliais i am Dduw a methu'n lân â chael hyd iddo. Mi ddarllenais i'r Beibl heb gael fy nghysuro. Mi weddïais i ond roedd y Nefoedd mor galed â phres.' Ond ymhen ychydig mae'n adrodd iddo weiddi mewn angerdd mawr, 'Arglwydd, ble'r wyt ti?'

Ac atebodd Duw, 'Wele, yr wyf fi gyda thi bob amser.'

Yr adeg yma o'r bore, mi fydd amryw yn ein plith wedi bod yn troi a throsi yn y nos, ein pennau'n llawn o broblemau'r diwrnod sydd o'n blaen a'r rheini'n ymddangos yn amhosibl eu datrys. Gadewch i ni eu cyflwyno nhw i Dduw mewn gweddi:

Arglwydd, rwyt ti wedi addo bod gyda ni, bob un ohonom, bob amser. Os ydym ni'n isel y bore yma, cod ein calonnau ac argyhoedda ni dy fod ti gyda ni, yn ein tywys ni'n amddiffynnol dros stepan drws diwrnod ardderchog arall o'th wneuthuriad di. Amen.

(Rhagfyr 1986)

Dadrithiad

Helô 'na. Mae dyn yn dychryn pan ddaw rhywun ato i fegera,'dydi? Dydych chi ddim yn disgwyl y peth, rywsut. Mae gen i gof plentyn am fynd ar daith i weld yr injans stêm yn sied Saltley yn Birmingham ac, wrth gerdded at y sied trwy strydoedd unffurf, diaddurn a thywyll, dyma fachgen bach troednoeth yn dod ata' i ac yn gofyn *'Give us a penny, please.'* Dydw i ddim yn cofio rŵan a roddais i geiniog iddo ai peidio ond rydw i'n dal i gofio'r pwyslais ar y gair *'please!'* Dro arall, roeddwn i'n cerdded ar hyd Bryn Road yn Abertawe pan ddaeth dyn ata' i a gofyn am *'florin'* — ydych chi'n cofio'r rheini? — dau swllt. Doeddwn i ddim yn hoffi ei olwg na'i gyfarchiad, *'I'll 'ave a florin off yer, mate,'* felly mi ildiais yn rasol a'i wylio'n dringo'r grisiau tua'r Rhyddings — y dafarn ar dop yr allt yn Brynmill.

A'r Sadwrn cyn y diwethaf, cefais yr un profiad eto. Cerdded roeddwn i allan o orsaf Waterloo yn Llundain. Roeddwn i wedi gweld yn yr orsaf fod bws rhif un yn addas i'm cario i Oxford Circus a Broadcasting House. O dan fy nghesail roedd tâp *Morning Service* Radio 4 trannoeth wedi'i recordio'r tro hwnnw oherwydd streic Telecom. Heb linellau i Lundain doedd dim modd gwneud y rhaglen yn fyw. Ta waeth, wrth ddisgyn i'r twnnel sy'n eich arwain at bont ar draws afon Tafwys, gwelwn ddyn ifanc gyda gwallt hir, brown tywyll, côt anferth, sgarff a thrywsus llwyd yn mynd o 'mlaen i. Cerddais heibio iddo'n brysur gyda'r tâp pwysig yn ddiogel o dan fy mraich.

'*Have you got 20p for me, mister, just for a cup of tea?*' gwaeddodd, cyn gynted ag roeddwn i ryw bum llath o'i flaen.

'*No, sorry,*' gwaeddais innau yn ôl dros fy ysgwydd.

Yna'n syth daeth rhyw euogrwydd drosta' i. Roedd gen i lond poced o arian mân heb sôn am bapurau pumpunt a deg i'w gwario ar betrol. Stopiais a chyfri ugain ceiniog. Erbyn hyn roedd o wrth fy sawdl. Rhoddais yr ugain ceiniog yn ei law. Gwenodd yn ddigon diolchgar a mwmial rhywbeth gwirion ynglŷn ag '*all my family killed in the First World War.*' Gwelais fws Rhif Un yn agosáu. '*Must catch the bus!*' gwaeddais yn ddiolchgar, yn falch o'r cyfle i'w adael.

Daeth rhai o'r sgyrsiau hyn Ben Bore yn ôl i'm cof ar y bws. Rhyw eiriau am 'weld yr Iesu ym mhawb', 'bod yn hael wrth y tlawd a'r digartref', 'caru cyd-ddyn', 'malio', 'consyrn dros eraill'. A beth roddais i i'r Iesu yn hwn? Ugain ceiniog. Go brin fod yna ddadrithiad mwy na chael eich dadrithio ynoch chi'n hunan na gwers fwy na'r un a ddysgwch chi trwy brofiad.

(Ionawr 1987)

Ddoe Wedi Mynd

Helô 'na. Tybed a fyddwch chi'n mwynhau mynd yn ôl i rywle lle buoch chi'n byw erstalwm. Mi gefais i'r profiad y dydd o'r blaen. Un o'r problemau a fydd gen i weithiau ydi beth i'w wneud pan fydda' i'n gorfod treulio prynhawn Sul oddi cartref. Yn fynych rydw i'n recordio Oedfa'r Bore neu *Celebration* ar gyfer *Radio Wales* yn rhywle fore Sul ac yn gwneud yr un gwaith eto gyda'r nos, gyda Chaniadaeth y Cysegr, efallai. Gall y prynhawn fod yn hir, felly mi fydda' i'n ceisio gwneud rhywbeth â rhyw bwrpas iddo, tra'n cofio mai'r Saboth yw'r dydd.

Y Sul diwethaf, bûm yn Gresffordd — pentref bach hyfryd rhwng Wrecsam a Chaer lle buon ni'n byw fel teulu am ugain mlynedd. Gadewais y car ger yr Eglwys, lle mae'r clychau yn un o saith rhyfeddod Cymru, a cherdded i lawr i'r dyffryn lle bûm yn marchogaeth beic ac yn gwylio trenau yn ystod fy arddegau. Yn wir, mae'n ymddangos i mi bellach na wnes i fawr ddim arall yn ystod y cyfnod hwnnw yn fy mywyd. Ac mi ddaeth rhyw dristwch mawr drosta' i. Doedd dim pobol ifanc i'w gweld yno'n seiclo, yn trafod ac yn chwarae fel y bydden ni, dim ond graffiti ych-a-fi o ddi-chwaeth wedi'i baentio ar y bont dros y rheilffordd. Roedd y trenau bron i gyd wedi diflannu hefyd. Dim ond y bocsys anniddorol sy'n cael eu galw'n *'multiple units'* sy'n tramwyo'r lein heddiw, lle bu peiriannau gwyrdd, pres a chopr y GWR erstalwm. Ac yn y tŷ ar y bryn uwchlaw'r lein, nid fy rhieni i a'm brodyr oedd yno mwyach ond pobol gwbwl ddieithr a oedd wedi newid pob dim — newid golwg y tŷ a rhoi enw Saesneg newydd iddo. Roedd cymaint a oedd yn annwyl i mi yn y lle wedi diflannu.

Ond wrth ddringo yn ôl at yr eglwys, digwyddais edrych yn ôl a rhyfeddu at harddwch dyffryn Alun yn yr heulwen — y coed, y caeau, a'r afon yn ymddolennu tuag at afon Ddyfrdwy ar wastadedd Caer. A dyma fi'n sylweddoli mai byd Duw ydi hwn, a pha beth bynnag ydi'r newidiadau sy'n ein tristáu ni, fod yna bob amser sialens a chyfle i ni wella'r byd i'r bobol sy'n byw ynddo, mewn partneriaeth â'r sawl sydd wedi'n creu ni.

Arglwydd ein Duw, rho gymorth i ni wynebu'r byd a'i bobol heddiw yn ein cred a chadw ni rhag digalonni byth. Amen.

(Hydref 1986)

Guto Ffowc

Wel, fyddwch chi allan heno yn gwylio fflamau coch y goelcerth ac yn mwynhau'r tân gwyllt? Ydi wir, mae'n adeg cofráu Guto Ffowc unwaith eto. Cofiwch fwynhau'r sioe a gofalu'n arbennig am y plant. Mi fydda' i yn gafael yn dynn iawn yn nwylo'r ddau acw.

Mae'n siŵr ein bod ni i gyd yn cofio llawer noson Guto Ffowc. Mae gen i lu o atgofion am goelcerthi mawr Cefngornoeth, Llangadog lle y buon ni'n byw. Clecian tân yn ysu *trash*, hisian olwynion Catherine, rocedi'n sgrialu o botel i'r entrychion a pheli coch, gwyn a gwyrdd Canhwyllau Rhufeinig (fy ffefrynnau i), yn goleuo cae cyfan ac yn benthyg eu lliw i ben blaen y tŷ.

Mae'n rhyfedd o ddefod, 'dydi, y noson Guto Ffowc 'ma? Roedden ni'n cael ein trwytho yn yr hanes yn yr ysgol ond go brin y meddylien ni lawer amdano wrth wylio Guto'n llosgi. Yn ystod yr ail ganrif ar bymtheg byddai pobol yn dathlu dal Guto Ffowc â chalonnau gwir ddiolchgar. Dyn cig a gwaed oedd o iddyn nhw, dihiryn bygythiol, a'r hanes am ei ymgais i chwythu Tŷ'r Cyffredin i ebargofiant yn ofnadwy o real. Roedden nhw'n diolch am y waredigaeth a gafodd y wlad o drwch blewyn. Dymi wedi'i stwffio â gwellt ydi o i ni, a gwir ystyr y noson yn tueddu i suddo o'r golwg. Mae'n calendr Cymreig ni yn llawn o achlysuron tebyg sy'n esgus i gymdogion neu bentref drefnu gweithgareddau. Dydd Gŵyl Dewi, y Nadolig, Eisteddfod, Cyngerdd,

Dawns, Diolchgarwch. Achlysuron Cristnogol, rai ohonyn nhw. Ond fel yn achos Guto Ffowc, rhyw suddo o'r golwg y mae gwir ystyr y rhain wedi'i wneud hefyd. Ai mynd trwy'r mosiwns ydyn ni, heb wybod pam?

Beth bynnag a feddyliwn ni o wleidyddiaeth yr hen Guto, methu a wnaeth ei gynllun i newid cwrs hanes. Mi gofiwn amdano unwaith y flwyddyn. Ffigwr mwy o lawer, lawer iawn ydi Iesu Grist. Mae hwn yn cerdded i mewn i'n bywydau ni bob dydd, cymaint ydi grym ei eiriau a'u dylanwad ar y byd yr ydyn ni'n byw ynddo. Peidiwn ag anwybyddu hwn drwy ei wthio o'r neilltu neu ei droi o'n ddyn o wellt. Mi fu hwn farw troson ni, o'i gariad tuag aton ni, er mwyn i ni gael bywyd helaethach, a bywyd tragwyddol. 'Diolch iddo. Cynnig mae y nef yn rhad.' Fedrwn ni fforddio anwybyddu dyn fel yna?

(Tachwedd 1986)

Y Gwir Fawredd

Bore da. Roeddwn i'n sefyll y dydd o'r blaen mewn mynwent yn Lexington, Kentucky gan syllu ar y gofgolofn a gododd ei edmygwyr er cof am Henry Clay, y *senator* clyfar ac union hwnnw a safodd deirgwaith am swydd bwysica'i wlad ac a ynganodd, yn ei dristwch o fethu, y frawddeg enwog honno, *'I would rather be right than be President.'*

Dridiau yn ddiweddarach dyma sefyll ar drothwy bwthyn pren lle ganed dyn a oedd, yn ôl y farn gyhoeddus heddiw beth bynnag, yn 'reit' ac yn 'President'. Yn y tŷ pren syml hwn, Hodgenville, Kentucky, ar Chwefror y deuddegfed 1809 y ganwyd un o arlywyddion mwyaf yr Unol Daleithiau — Abraham Lincoln. Braidd yn gomic i mi ydi'r fangre heddiw. Dros ben y bwthyn mae yna adeilad anferth i gadw'r tywydd oddi arno, braidd yn debyg i'r eglwys aruthrol fawr honno yn Nasareth, a chwt o bridd yn y seler — tŷ Joseph a Mair, yn ôl y gred. Ond sôn am Lincoln roeddwn i, yr ymgorfforiad hwnnw o'r freuddwyd Americanaidd a gododd o dlodi i fod yn arweinydd cenedlaethol trwy gyfnod anodd a dychrynllyd y Rhyfel Cartref. Mi fyddwn ni heddiw'n arswydo o glywed am ladd cant. Lladdwyd chwe chan mil yn Rhyfel Cartref America — rhai miloedd o'r rheini'n Americanwyr Cymraeg eu hiaith, meibion y rhai a groesodd yr Iwerydd i wlad rhyddid. Yn anffodus, roedd un garfan heb eu rhyddid yno — y caethweision — ac mi dalodd y miloedd a fu farw yn Shiloh, Gettysburg, Vicksburg a Champion Hill yn ddrud i gywiro'r gwall. Ond gwall oedd o y mynnai Lincoln — a'r genedl, yn y pen draw — ei gywiro, ac mi dalodd yntau'r pris eithaf mewn theatr, o bob man, pan saethwyd ef gan ddyn o'r enw John Wilkes Booth.

Dyn i'w edmygu oedd Lincoln. Cododd ei hun i entrychion cymdeithas America ei ddydd a glynodd wrth yr hyn oedd yn dda ac yn iawn. Daeth o fod yn neb i fod yn rhywun, yn Arlywydd. Mae yna lawer i'w ganmol yn hynny yn ei achos o. Ond nid bob amser chwaith. Mewn llawer achos trodd y freuddwyd Americanaidd yn chwerw. Cam bach oddi wrth edmygu dyn am ei fawredd personol ydi ei edmygu am ei gyfoeth a'i eiddo, ac yn yr holl raglenni teledu Cristnogol a welais yn ogystal â'r bregeth y bore 'ma, chlywais i ddim gair yn erbyn hel meddiannau ac ymlafnio i fod yn Colby neu'n J.R. Roedd yr Iesu'n cynghori dyn i fod yn neb ac, os mynnai eraill ei ddyrchafu, fel yn achos Lincoln, popeth yn iawn. Ond i ddyn geisio'i wneud ei hun yn rhywun — na, nid dyna ffordd Crist o gwbwl. Ceisio ewyllys Duw ar ei gyfer ydi gwaith y Cristion a byw bywyd o ffydd ac ymroddiad yn ôl safonau ei Arglwydd, nid safonau'r byd.

Wel, hwyl fawr i chi — neu fel maen nhw'n dweud draw acw — *'Have a nice day!'*

(Ebrill 1987)

Ffugio

Helô 'na, neu a ddylwn i ddweud *'Howya doin'?'* gan mai yn Nhennessee yn yr Amerig y bûm i'r wythnos ddiwethaf a chael pleser a boddhad mawr o weld *Ole Man River*, y Mississippi, am y tro cyntaf. Gyrru o Nashville i Memphis a phriffordd Interstate 40 yn dod â ni bron i'r cei ei hun a'r maes parcio. Roedd y plant wedi cynhyrfu'n lân — ar lan yr afon mae yna ynys o'r enw *Mud Island* a thrên hongian, *monorail*, sy'n mynd â chi yno, i un o'r amgueddfeydd gorau a welais i erioed, yn enwedig i rywun fel fi sydd â diddordeb yn Rhyfel Cartref yr Unol Daleithiau.

Yn yr amgueddfa hon fe gewch chi sefyll ar un o gychod padlo Mississippi'r ganrif ddiwethaf a sylwi ar yr addurniadau; mae yna sŵn sgwrsio dramatig teithwyr a gweiddi croch y morwyr i'w glywed yn llenwi'r lle. Ymhen ychydig, wele fodel o Mark Twain yn adrodd ei hanes â'i lygaid yn fflachio, ei geg yn symud a'i fwstás yn codi a disgyn wrth iddo ddisgrifio'i fywyd yn labro'n ddiddiwedd ar stemars yr afon. A dwndwr y Rhyfel Cartref wedyn yn yr adran nesaf. Wrth syllu ar y cyflegrau, (dyna i chi hen air Cymraeg da am *cannon*), roeddech chi'n *clywed* gynnau Vicksburg yn tanio ar longau rhyfel General Grant wrth iddyn nhw geisio sleifio heibio i'r clogwyni mawr liw nos. A'r tu allan i'r amgueddfa roedd model o'r afon ar ei hyd a phob tro yng nghwrs y dyfroedd yn cael ei ddarlunio mewn concrit a dŵr gyda gardd hyfryd yn gefndir.

Fedren ni ddim aros ym Memphis heb fynd am dro ar yr afon, sy'n ddigon tebyg ei golwg i aber afon Hafren pan fyddwch chi'n croesi'r bont i Loegr. Y gwahaniaeth mawr ydi fod yna 600 milltir o afon cyn cyrraedd y môr o Memphis! Ac wrth hwylio i lawr yr afon ar y *Memphis Queen* roedd Jôs wrth ei fodd o weld Ifan, a fydd yn dair yr wythnos nesaf, yn ymddiddori'n fawr yn y padl a oedd yn troi'n araf yng nghefn y llong. Ond go brin iddo weld beth welais i — nad cwch padl mo hwn o gwbwl, wir. Roedd yr olwyn yn troi yn y dŵr ond y dŵr oedd yn troi'r olwyn ac nid fel arall. Ac o sylwi ar batrwm y dŵr islaw, mi roeddwn i'n gweld yn syth mai dwy sgriw o dan y dŵr oedd yn gyrru'r cwch ac nad oedd ei simneiau erioed wedi pwffian ager — hen beiriant diesel oedd yn canu grwndi yn ei fol o'n rhywle.

Mi fuasai'n deg gofyn i'r rheini ohonon ni sy'n cyfrif ein hunain yn Gristnogion, tybed nad ydyn ninnau'n medru bod yn ffug hefyd gan ein twyllo'n hunain mai'r Ysbryd Glân sy'n trefnu'n bywydau ac yn eu gyrru yn eu blaen tra, mewn gwirionedd, rydyn ni'n gadael i bob math o ddylanwadau eraill, mwy bas o lawer, ein gwthio ni trwy ddyfroedd tymhestlog bywyd? Dim ond gofyn rydw i — i mi fy hun yn ogystal ag i chwithau.

(Ebrill 1987)

Y Fi Fawr

Rhyfedd o beth fel mae dyn yn gweddïo fynychaf drosto'i hun. Rydw i'n cofio rhywun yn gofyn i mi unwaith pa un oedd y gair sy'n cael ei ddefnyddio amlaf yn yr iaith Saesneg. Wedi cryn grafu pen, roedd yn rhaid i mi gyfaddef na wyddwn i ddim. 'Wel,' meddai, 'y gair bach *"I"*, y fi — hwnnw y mae Saeson yn mynnu ei sillafu â llythyren fawr i ddangos pa mor bwysig ydi o — a pha mor bwysig ydyn *nhw*.'

'Hei, arhoswch funud,' meddwn i, 'mae hyn'na braidd yn annheg achos mae'r "Fi fawr" yr un mor bwysig yn ein plith ni'r Cymry.' Rydw i wedi'i ddefnyddio fo bum gwaith yn y sgwrs yma'n barod. Ac wrth weddïo, nymbar wan piau hi'n aml iawn, yntê?

'Ein Tad, yr hwn wyt yn y nefoedd, rho help i mi, cynorthwya fi, yn enwedig pan fydda' i mewn trwbwl, pan fydd pethau'n mynd o chwith yn y gwaith, pan fydd fy mam yng nghyfraith yn creu helynt rhyngof a'r wraig, pan fydda' i wedi gwneud rhywbeth drwg ac eisiau dod allan ohoni. Arglwydd, helpa fi, cadw fi rhag trafferthion, dyro i mi y bywyd esmwyth, didrafferth, hir.' Os oes gynnon ni weddi daer, dyna hi, yntê? Bydd o gymorth i *mi*.

Ond, arhoswch am funud. Os ydyn ni'n Gristnogion, mae gofyn ystyried sut y byddai Iesu Grist wedi gweddïo. Ac un o'i nodweddion o oedd nad oedd o'n hunanol o gwbwl. Meddwl am eraill, caru eraill, gwasanaethu eraill oedd ei ffordd o. Tybed nad oes yna le i ninnau fod yn fwy hael yn ein gweddïau. Gweddïo dros bobol eraill yn hytrach na ni ein hunain o hyd — aelodau o'n teuluoedd ni a'r sawl sy'n ein caru ni, bid siŵr. Ond mae yna rai eraill y byddai'r Iesu'n bwriadu i ni eu cynnwys — y sawl a anghofiodd addewid i ni; y sawl a'n twyllodd ni, ac a dorrodd i mewn i'n tŷ; y rhai a frifodd ein teimladau, a'r sawl a frifodd ein cnawd, hefyd; rheini sy'n ein cynddeiriogi, yn ein gyrru ni'n gandryll; ac yn fwy na neb, efallai, y rheini sy'n ein casáu ni.

Anodd, 'dydi? Mae yna sôn ym mhregeth Iesu Grist ar y mynydd am fynd i'n hystafell a gweddïo ar ein Tad yn y dirgel. Tybed nad yr hyn sydd angen i ni ei wneud yn y fan honno, yn gyntaf peth, ydi gofyn iddo fo dywallt ei gariad arnon ni, er mwyn i ni fedru rhoi eraill yn gyntaf yn ein gweddïau, a'n hanghenion ni'n hunain yn olaf.

Ein Tad, cynorthwya ni'r bore yma i gofio am eraill yn ein gweddïau, ein siarad a'n gweithredoedd trwy gydol dy ddiwrnod di heddiw. Amen.

(Tachwedd 1986)

Spring Clîn

Dyddiau'r llwch yn hedfan ydi hi yn ein tŷ ni unwaith
eto a'r wraig yn glanhau o'r top i'r gwaelod gan obeithio
cwblhau'r gwaith i gyd cyn y daw'r ymwelydd. Ddylai
hi ddim bod yn bwrw iddi cweit mor egnïol, mae'n siŵr,
gan mai ymwelydd bach iawn sy'n dod, a hwnnw neu
honno yn dod i aros am gyfnod go faith, gobeithio.
Ond ta waeth, mae'n rhaid cael trefn ar y tŷ cyn y geni,
ac fel y dywedais, mae'r llwch yn hedfan.

Waeth i mi gyfaddef ddim, mae'n tŷ ni'n *llawn* o
'nialwch. Llyfrau a chylchgronau ydi'r pechaduriaid
pennaf. Maen nhw ym mhob man ac mae prinder
cypyrddau i'w dal nhw. Teganau Aled, mae'r rheini ym
mhobman, yn amrywio o ddarnau o'r Duplo hyfryd 'na
y bydda' i wrth fy modd yn chwarae hefo fo hyd at y rhes
hir o Dedis sy'n troi ei stafell yn debycach i sŵ na dim
arall. A dyna fy mhethau i wedyn. Wel, mae angen
gwraig amyneddgar iawn i ddioddef gŵr sydd wedi
mopio ar hen geir a threnau a phethau felly. Mae hanner
llond yr atig o ddarnau rhydlyd. Does dim rhyfedd fod
to un stafell wely'n gwegian! Un gair a ddaw o enau
Sylvia'r wythnosau nesaf 'ma, mi fedra' i ragweld, fydd,
'Allan.' Allan i'r garej, y bin, y tip yng Nghilgwyn, ac mi
rydw i wedi bod yno dair gwaith eleni'n barod.

Cofiwch chi, mi fydda' i'n teimlo fod arna' *i* angen
spring clîn weithiau. Nid o'r tu allan, gobeithio — er fy
mod i mor ddrwg weithiau efallai *bod* angen hel ymaith

ambell we pry cop. Na, sôn am y tu mewn rydw i, pan fydda' i'n teimlo'n stêl, yn ddigalon a digychwyn ac ymhell oddi wrth Dduw. Dyna brofiad, mae'n siŵr gen i, sy'n ddigon cyfarwydd i ni i gyd. A'r pryd hwnnw, decini, ydi'r amser i fynd ar ein gliniau ac ymbil ar i Dduw yn Iesu Grist ddod i'n calonnau a'n llenwi â ffresni a llawenydd — ffresni am ein bod yn medru ailgychwyn byw heb orfod gofidio am yr hen bechodau y mae o wedi'u maddau, a llawenydd am ei fod Ef yn ein caru ac yn deisyfu'n cwmni ni.

Ac megis ym mhob spring clîn, mae 'na daflu allan a lluchio i'r bin sbwriel — hen genfigennau a chasinebau, geiriau caled a digariad, segurdod y gaeaf yng nghymalau'n heneidiau ni, a'r diffyg awydd sydd ynon ni i weddïo.

Allan â nhw, bois! Ac i ddyfynnu Paul, 'Bydded i Dduw'r tangnefedd ei hun eich sancteiddio chwi yn gyfan gwbl, a chadw eich ysbryd a'ch enaid a'ch corff yn gwbl iach a di-fai hyd ddyfodiad ein Harglwydd Iesu Grist! Y mae'r hwn sy'n eich galw yn ffyddlon, ac fe gyflawna ef hyn.'

(Mawrth 1984)

Beth yw Tröedigaeth

Bore da. Un o'r profiadau hynny sy'n dychryn pobol rhag rhoi eu hunain yn llwyr at wasanaeth Iesu Grist ydi 'tröedigaeth'. Soniwch am y posibilrwydd o gael eich aileni wrth y rhan fwyaf o bobol ac mae'n nhw'n dychryn — braidd fel y bydda' i'n dychryn o glywed peth o'r jargon annealladwy sy'n britho Cymraeg byd Addysg y dyddiau hyn. Y gwir amdani ynglŷn â thröedigaeth ydi fod yna gynifer o ffyrdd o ddod yn Gristion ag sydd yna o Gristnogion. Mae profiad pawb yn wahanol — rhai fel Paul wedi'u newid ar amrantiad yn odidog o sydyn. Eraill fel C. S. Lewis wedi'u llusgo i mewn i'r bywyd Cristnogol gerfydd eu gwar megis, yn anfoddog dros ben. *'The most reluctant convert in all Christendom'*, oedd ei ddisgrifiad ef o'r broses. Rydw i'n cofio mai eistedd mewn capel roeddwn i — Capel Pontrhythallt yn Llanrug — wedi fy llusgo yno gan gyfaill i Gyfarfod Blynyddol Gweinidogaeth Iacháu y Methodistiaid Calfinaidd. Na, doeddwn i ddim eisiau bod yno yn eistedd ar seti pren am wyth awr ar ddydd Sadwrn, diolch yn fawr — hyd nes i Gwilym Ceiriog ddechrau pregethu, ac i minnau'n sydyn sylweddoli fod yna rywbeth mwy i'r Gristnogaeth yma nag oeddwn i wedi'i dybied o'r blaen — ei fod yn real, a bod realiti y Crist byw yn dechrau cyffwrdd â 'mywyd i.

Beth sy'n digwydd pan fydd dyn yn derbyn Crist?

Sylwch ar yr adnod ym mhennod gyntaf Ioan, sy'n dweud:

'Ond cynifer ag a'i derbyniodd, rhoes iddynt hwy, y rhai sy'n credu yn ei enw, hawl i ddod yn blant Duw.'

Ond sut? Dewch am sgawt i lyfr y Datguddiad lle cawn ni'r geiriau hyn:

'Wele, yr wyf yn sefyll wrth y drws ac yn curo; os clyw rhywun fy llais ac agor y drws, dof i mewn ato a swperaf gydag ef, ac yntau gyda minnau.'

Un sy'n curo wrth ddrws ein bywydau ni ydi Iesu Grist. Mae dyn yn dod yn Gristion trwy agor y drws a'i wahodd o i mewn.

> Agor iddo, Agor iddo,
> Cynnig mae y nef yn rhad.

Ein Tad, cymorth ni i gredu, i fod â gwir ffydd yn dy fab, Iesu Grist. Cadw ni rhag y tywyllwch a dylanwadau'r un drwg heddiw. Pâr i ni weld dy oleuni, a dod ato a'i dderbyn mewn llawenydd i'n bywydau. Amen.

(Tachwedd 1989)

Ydyn Ni'n Barod?

Tua phedwar ugain o flynyddoedd yn ôl, roedd taid i gyfaill i mi'n gweithio mewn gorsaf dân yn Glasgow. Bryd hynny, wrth gwrs, doedd dim o'r fath beth ag injan dân fel rydyn ni'n ei hadnabod. Nid lori fawr goch oedd ganddyn nhw ond pwmp, pren gan amlaf, ar olwynion, a hwnnw'n cael ei dynnu drwy'r strydoedd gan chwech o geffylau. Heb deliffon a heb beiriant petrol i ruthro i gyfeiriad y tân, roedd hi'n anodd iawn cyrraedd mewn pryd i ymladd y fflamau'n effeithiol ac yn aml roedd tanau mawr wedi hen ddiffodd cyn i'r frigâd glywed amdanyn nhw.

Un diwrnod, cerddodd ci bach amddifad i mewn i'r orsaf. Roedd golwg flêr a newynog arno ac roedd yn amlwg nad oedd ganddo gartref yn y byd. Cynigiwyd bwyd iddo a bwytaodd yn awchus. Ymhen dim amser roedd pawb wedi dod yn hoff ohono ac yntau ohonyn nhw ac yno y bu am wythnosau lawer. Ond roedd hi'n amlwg fod un peth yn poeni'r ci bach. Bob tro y byddai'r gloch yn canu, byddai ei gyfeillion newydd yn dianc oddi wrtho ac yn mynd i ddiffodd tân. Penderfynodd y ci bach yr âi yntau hefyd ac o fewn dim, cynefinodd pobl Glasgow â gweld y meirch, y cerbyd pwmpio a chi bach y tu ôl iddyn nhw yn sgrialu drwy'r dre i gyfeiriad tân. Pan dyfodd y ci i'w lawn faint, y fo fyddai ar y blaen. Roedd wedi dysgu sut i adnabod arogl mwg tân o bell, ac yn lle dilyn y meirch, y nhw fyddai'n ei ddilyn o ac mi fydden nhw'n cyrraedd yn llawer cynt â'r ci bach yn eu tywys.

Bu wrthi am flynyddoedd lawer a thaid fy nghyfaill oedd yn gyfrifol amdano. Pan fu farw, talwyd i ryw dacsidermydd ei stwffio ac mae i'w weld hyd heddiw yn yr orsaf dân ac, o'i flaen, y geiriau, *'I am ready'* — rydw i'n barod.'

Mae 'Ydych chi'n barod?' yn gwestiwn y mae Duw wedi bod yn ei ofyn i bob un ohonon ni. Ydych chi'n barod i wasanaethu, i roi o'ch gorau, i ymdrechu hyd yr eithaf er mwyn ei achos Ef? Ydych chi'n barod i'w gynrychioli Ef yn frwd lle mae yna drwbwl, ac i arwain y ffordd ymysg ei bobol ef y bore 'ma? Ydyn ni'n barod? Pob bendith.

(Gorffennaf 1983)

Echel Bywyd

Peth braf ydi cael cymdogion da. Mi gefais i anffawd beth amser yn ôl wrth ddod o Gaernarfon â llwyth o ro mân i wneud concrit yn y trelar y tu ôl i'r car. Cefais daith ddigon hwylus i Gaeathro, yna dechrau dringo tua Phencefn a Waunfawr. Bang dw-rwp, dw-rwp, dw-rwp. Pynctsiar yn olwyn y trelar. A oedd gen i olwyn sbâr? O, nag oedd!

Mi wyddwn mai olwynion Austin A35 oedd ar y trelar, felly dyma fynd i dŷ rhywun yn y pentref sydd ag un o'r ceir hyn yn ei garej ers cantoedd. Gawn i fenthyg olwyn a theiar? Cawn â chroeso. Dychwelais at y trelar, druan, a oedd yn gorwedd yn drist yr olwg mewn glaswellt hir ar fin y ffordd. Jac o dan yr echel, datod yr olwyn a'i thynnu hi a'r teiar maluriedig, gosod yr olwyn newydd ac ymaith â ni am adref, yn ddiogel, gan ddiolch o waelod calon am gymdogion da.

Rhyfedd o beth ydi echel, yntê? Mae'n ei gwneud hi'n bosibl i ni gario llwythi o raean mân o'r dre i'r tŷ mor hwylus. Dychmygwch gludo hwnna i gyd ar droed mewn pwced ac mi welwch cymaint o waith y mae'r echel yn ei arbed. Ysgwn i a glywsoch chi'r molawd hwn i'r echel? Does neb yn gwybod pwy ydi'r awdur:

'Mewn olwyn, mae 'na un darn nad yw'n troi — yr echel ydi hwnnw. Felly, yn rhagluniaeth Duw, mae 'na echel nad yw fyth yn symud. Dyna i chi beth melys i'w ystyried i Gristion. Mae ein sefyllfa ni yn newid o hyd:

weithiau rydyn ni ar i fyny, weithiau ar i waered. Eto, mae un canolbwynt i'n bywydau ni nad yw'n newid. Beth yw'r echel honno? Echel cariad bythol Duw tuag at bobol ei gyfamod ydyw. Mae'r tu allan i'r olwyn yn troi a throi ond mi ddeil yr echel yn llonydd a chadarn bob amser. Gall pethau eraill newid a symud ond 'dyw cariad Duw fyth yn crwydro.'

Dyma echel olwyn ein bywydau ni — echel sy'n parhau'n dragwyddol. A'r mynegiant pennaf o'r cariad hwnnw ydi iddo anfon ei fab, Iesu Grist, aton ni i'n hyfforddi a'n dysgu ac i aberthu ei hun er mwyn i ni gael treulio tragwyddoldeb gyda Duw, dim ond i ni ewyllysio hynny. Canu am ryfeddod a dirgelwch hyn oll a wnaeth Dyfnallt yn ei emyn:

> Dwfn yw dirgelwch cudd
> Yr iachawdwriaeth fawr,
> A'r cariad na fyn golli'r un
> O euog blant y llawr.

(Awst 1988)

Dal Dig

Bore da. Roeddwn i'n teimlo'n ddwl reit y dydd o'r blaen. Beth ddwedsoch chi? Rydw i'n swnio'n ddwl bob bore? Iawn, deudwch chi. Ond peidiwch â thorri ar fy nhraws i achos roeddwn i ar fin egluro.

Flynyddoedd yn ôl erbyn hyn, mi es i siop adeiladydd — wyddoch chi, un o'r llefydd hynny lle mae modd prynu popeth, ie *popeth*, ar gyfer codi eich tŷ, addurno eich tŷ a thrwsio eich tŷ a'i droi'n debyg, pe bai hynny'n angenrheidiol, i blasty yn *Country Life* neu hafan Iypïaidd ar dudalennau *Ideal Home*.

I mewn trwy'r drws â mi, wedi gyrru pum milltir i gyrraedd y lle. Gafaelais mewn pot o bwti neu rywbeth ac mi es i dalu. Doedd gen i ddim pres mân hefo fi, felly mi dynnais fy llyfr siec.

'*We don't accept cheques for items under five pounds,*' meddai mêt y tu ôl i'r cownter.

'*What do you mean?*'

Ailadroddodd ei frawddeg soniarus. Nawr, mae gen i wallt coch ac ar ben hynny, mi ddeuthum i'r ardal i fyw er mwyn byw fy mywyd yn Gymraeg a magu fy mhlant yn Gymry a doedd acen mêt, ac yntau'n cadw siop yng nghanol un o bentrefi Cymreiciaf Cymru, ddim yn plesio. Dyna lle roeddwn i'n cynnig arian digon dilys am nwydd roeddwn i wedi teithio sbel o ffordd i'w brynu ac yn cael fy ngwrthod gan yr iob dwl hwn a welodd fwlch yng Nghlawdd Offa.

Mi wylltiais i, wrth gwrs. Slam i lawr i'r pot plastig, a chan hisian geiriau hiliol ac angharedig trwy fy nannedd, dyma fartsio allan a chlep i'r drws nes crynu'r adeilad.

Y dydd o'r blaen, roeddwn i'n trafod cludo brics at yr estyniad acw gydag un o'r bricis sydd wrthi hefo'r gwaith.

'Mae angen gwell berfa arnoch chi,' meddai, 'pam nad ewch chi i brynu un gan . . .' ac mi enwodd berchennog siop y pot pwti.

'Na wna' i, wir,' meddwn i ac mi adroddais y stori i gyd.

Mi syllodd arna' i'n syn. Mae o'n gwybod, decini, beth ydi fy mhroffesiwn, a 'mhroffes. Ac mi sylweddolais innau, ar amrantiad, beth roeddwn i wedi'i wneud — wedi arddangos fy niffyg maddeuant gerbron y byd.

Phrynais i mo'r ferfa yno, chwaith. Mi gefais un yn union yr un fath gan Sais arall mewn siop adeiladydd yng Nghaernarfon. Roedd hi bumpunt yn ddrutach yn y fan honno.

(Medi 1988)

71

Symud

Rydw i wrthi'r dyddiau yma yn pacio. Pacio popeth sy'n eiddo i ni fel teulu. Pam? Rydyn ni'n symud. Symud bellter ffordd i dŷ newydd. Wel, mae o bellter ffordd os ydych chi'n dair oed, hyd yn oed os mai hanner milltir ydi o i oedolion. Ac mae Aled yn poeni. 'Pryd ydan ni'n symud, Mam?' Dydyn ni damaid gwell o egluro mai er ei fwyn o a'i frawd rydyn ni'n mynd, er mwyn iddo fo dyfu'n hogyn mawr mewn tŷ lle mae 'na ardd weddol o faint, ymhell o sŵn y traffig sy'n dwndwr heibio i'n drws ffrynt ni ar hyn o bryd.

Tŷ reit fychan ydi'n cartref newydd ni, ar lethr uwchlaw Afon Gwyrfai. Mae'r dyffryn yn lledu yno cyn culhau ym mwlch Betws Garmon. Ar ôl wyth mlynedd o fyw mewn un man, mi fydd yn braf symud i'r lle hwn a chael golygfa hyfryd o'r ffenestr bob bore gyda Mynydd Mawr neu Fynydd yr Eliffant o'n blaenau ni, Moel Eilio o'r ochr a gwastadedd y dyffryn islaw a'r afon yn dolennu trwyddo. Cerddodd George Borrow y ffordd yma ganol y ganrif ddiwethaf ac, ar ôl gwrando pregeth yn hen ysgoldy Waunfawr, dechreuodd gerdded tua'r Betws. Cafodd brofiad rhyfedd wrth fynd. Teimlai fod Paradwys yn ymagor o'i flaen wrth gyrraedd llawr y dyffryn ac, yn wir, dyna ydw innau yn ei obeithio at y gwanwyn yma — y byddwn ni wedi symud yn nes at baradwys George Borrow ac yn byw yno'n ddedwydd fel teulu.

Peth da ydi symud weithiau, wyddoch chi. Nid dim ond symud tŷ, ond symud o ran ein diddordebau, ein dull o fyw, ein hagwedd at fywyd. Gofyn i ni symud mae'r Iesu, symud yn nes at ei baradwys o, yr hyn roedd o yn ei alw'n Deyrnas Nefoedd; symud oddi wrth bechod a phwerau'r tywyllwch at fywydau daionus ym mhurdeb ei oleuni Ef.

Chafodd George Borrow fawr o groeso yn ei baradwys. Ceisiodd siarad â gwraig a rhedodd hithau i ffwrdd gan weiddi 'Dim Saesneg', chwarae teg iddi. Ond *mae* yna groeso ym Mharadwys Duw. Mae yna lawenydd ymysg angylion Duw am unrhyw un pechadur sy'n edifarhau. Mae Teyrnas Nefoedd yn nesáu aton ni i gyd heddiw eto. A gawn ni weddïo'r bore 'ma am ras i symud i'w chyfeiriad hi mewn sicrwydd o gael ein derbyn yno.

Pob bendith i chi.

(Ionawr 1985)

Cymryd y Glec

Bore da. Mi gefais fraw y dydd o'r blaen wrth yrru ym
Mangor. Ciw hir ar y ffordd, pobol yn troi eu ceir yn y
lôn i gael mynd y ffordd arall, goleuadau glas yn
chwyrlïo. Oedd, roedd damwain wedi digwydd, gydag
ambiwlansau'n dilyn ei gilydd ar hyd y daith fer i Ysbyty
Gwynedd. Mi syllais arnyn nhw gyda gofid gan obeithio
a gweddïo nad oedd neb wedi cael niwed mawr.

Roedd y ceir wedi'u darnio'n o ddrwg ac eto,
roeddwn i'n falch o weld eu bod nhw wedi cymryd y
glec yn reit dda — pen blaen un wedi malu'n yfflon, ond
y rhan hwnnw o'r car sy'n cynnwys y gyrrwr a'r teithwyr
yn bur gyfan. Felly mae cynllunwyr ceir heddiw'n
meddwl, wrth gwrs. Mae pen blaen y car wedi'i
gynllunio i gymryd y glec ac wrth i hwnnw falu a
phlygu'n raddol mae'n dygymod â'r ergyd ac yn ei
meddalu i'r gyrrwr. Mi fyddwn i'n chwerthin pan fyddai
pobol yn taro metel hen gar oedd gen i ac yn cyhoeddi'n
awdurdodol, 'Ew, 'dyn nhw ddim yn eu gwneud nhw
fel bydden nhw.' Yr ateb call i'r frawddeg honno ydi
'Diolch byth,' achos pe bawn i wedi taro rhywbeth yn
y tanc hwnnw, 'fyddai ei gorff yn 'rhoi' *dim*, ac mi fyddwn
i fel gwybedyn yn fflat ar ei ffenestr.

Fel arall y mae hi heddiw. Mae ambell un wedi
rhyfeddu yn fy nghlyw i gymaint o ddifrod sydd i ben
blaen Volvo neu debyg wedi iddo daro rhywbeth — 'a
minnau'n meddwl eu bod nhw'n geir cryf'. Ond wedi

74

camddeall y ddadl maen nhw. Wrth aberthu ei hun yn raddol, fwriadol, (ac mae o wedi'i gynllunio i wneud hynny, wrth gwrs) mae'r car modern yn cymryd y glec ac yn amddiffyn y sawl sydd y tu mewn iddo.

Wyddoch chi, rhywbeth yn debyg i hynna ydi egwyddor y Beibl hefyd; fod Duw yn ei ddoethineb wedi cynllunio i mewn i'w greadigaeth ffordd i'n cadw ninnau rhag mynd i ddistryw — fod Crist wedi ei aberthu ei hun er mwyn i ni gael gafael ar y bywyd tragwyddol y mae Duw yn ei gynnig i ni. Er i ni wneud camgymeriadau lu wrth geisio llywio ar hyd ei ffordd o trwy fywyd, y fo sydd wedi talu'r pris, wedi cymryd y glec i'n hachub ni rhag ein camgymeriadau'n hunain ar y lôn.

Pob bendith.

(Mawrth 1988)

Y Ciosg Gweddi

Wel, cyfrwch eich bendithion ben bore fel hyn. O leiaf, yn ôl un erthygl a ddarllenais i yn y papur newydd, dydych chi ddim yn giosg. Mae'n ciosgau ni, mae'n debyg, yn dioddef yn arw, yn enwedig ciosgau Glasgow. Mae naw cant a hanner ohonyn nhw yn y fan honno yn cael eu fandaleiddio bedair mil ar ddeg o weithiau'r flwyddyn, ar gost o dri chwarter miliwn o bunnoedd. Oes yna rywun yn Glasgow sy'n gwneud rhywbeth heblaw malu ciosgs, tybed? A rhywbeth yn debyg ydi'r broblem yn ein trefi a'n pentrefi ni yng Nghymru os ydw i'n sylwi'n iawn. Mae niwed difrifol yn cael ei achosi i flychau ffôn o hyd ac o hyd: geiriau hyll wedi'u hysgrifennu â ffelt tip, gwydrau wedi'u malu a drafft a sŵn yn dod i mewn, a'r lamp a'r llyfrau byth a hefyd yn rhacs.

Cofiwch chi, rydw i'n deall fod *British Telecom* yn gwneud eu gorau i 'daro 'nôl' fel petae a'u bod yn bwriadu gosod yn eu lle nhw ryw flychau melyn hyll wedi'u gwneud o ddur ac aliwminiwm nad oes, medden nhw, fodd yn y byd eu fandaleiddio. Bydd yr hen giosg a gynlluniwyd gan Syr Giles Gilbert Scott yn 1936 yn diflannu o'n strydoedd a byddant ar werth i ni, aelodau'r cyhoedd, am brisiau rhesymol i'w troi yn dai gwydr, yn gawodydd i'w rhoi dros y bath, yn siambrau preifat i ymarfer eich pregethau at y Sul neu, fel yr awgryma'r erthygl yn y papur newydd, i'w fandaleiddio, yn ôl eich dymuniad.

Ond gwamalu rydw i rŵan. Mater difrifol iawn ydi'r malu 'ma. Does dim yn fy ngwylltio i'n fwy na chyrraedd blwch teleffon ar ras i ffonio a darganfod fod rhywun wedi bod yno'n difrodi'r blwch, y ffôn neu'r lein ac yn ei gwneud hi'n amhosibl cysylltu a chadw oed. 'Teg ffonio tuag adre', medd y gair ar ochor y faniau ond mor annheg a digalon yw methu cael cysylltu â'r teulu.

Wyddoch chi, efallai mai dyma sut mae'n Tad arall ni'n teimlo hefyd, ein Tad tragwyddol. Eisiau clywed oddi wrthyn ni mewn gweddi ac yntau'n ein caru, ond dim ffôn, dim hot-lein.

Sut gyflwr sydd ar ein ciosg gweddi ni y bore 'ma? Dyma'r ystafell o'r neilltu y byddai Iesu Grist yn sôn amdani. Oes yna sglein defnydd yno, ynteu ydi'n diffyg cariad ac amynedd a'n consyrn ni am y byd hwn a'i bethau wedi'i fandaleiddio'n rhacs? Dydd da i chi.

(Ebrill 1985)

Y Trysor Na Dderfydd

Ydi'r papur newydd wedi cyrraedd y bore 'ma? Go brin.
Mae'n rhy gynnar, mae'n debyg. Ond dewch gyda mi
yn eich dychymyg i chwilio trwy golofnau'r papur am y
darnau mwyaf afiach ohono. Na, dydw i ddim yn mynd
i'ch arwain chi at bydredd ac aflendid ambell rescyn
rhad. Rydw i am eich tywys chi at frawddegau sy'n
llenwi gwaelodion colofnau llawer papur digon parchus
yma yng Nghymru — y darnau bach sy'n adrodd faint
mae hwn a hwn wedi'i adael: 'Gadawodd Cuthbert
Fotheringay-Huws (Bart), Plas Meillion, Cwmtrilliw,
saith gant, saith deg a saith o filoedd, chwe cheiniog
(net), hyn a hyn (gros).' Dyna'r math o beth sy'n
boddhau chwantau dyfnaf llu o bobol achos mae o'n
ateb y cwestiwn, 'Faint wnaeth o'i adael?'

Yr ateb, wrth gwrs, ydi ei fod o wedi gadael popeth.
Mi adawodd yr hen Cuthbert y cwbwl — yr holl arian
a'r cyfoeth roedd o wedi'i gronni.

Rydw i'n cofio rhyw wraig llety i mi'n sôn am ambell
berson mewn sir arbennig yn byw'n dlawd mewn tŷ heb
wres a hynny'n unig, meddai hi, er mwyn cael cyhoeddi
yn y papur lleol faint yn union roedden nhw wedi'i
adael. Gyfeillion, os dyna ydi'ch agwedd chi y bore 'ma,
ewch allan ar eich union i brynu glo a choed tân.
Peidiwch â marw o heipothermia dros yr hyn na
fedrwch chi fynd ag o gyda chi ar eich taith!

Eto, mae'r Beibl yn rhagweld y medrwn ni yrru

rhywbeth o'n blaen i'r Nefoedd. Ydych chi'n cofio geiriau Crist, 'Eithr trysorwch i chwi drysorau yn y nef, lle nid oes gwyfyn na rhwd yn llygru.' Mi fydd y da a wnawn ni ar y ddaear a'r ffydd sy'n eiddo i ni yn stôr o gredyd yn ein cyfrif yn y Nefoedd ac, ar ben hynny, mi fedrwn ni adael ar ein holau yma rywbeth o werth, a does dim rhaid bod yn gyfoethog i wneud hynny. Gadawodd John Wesley chwe llwy arian ac Eglwys Fethodistaidd. Gadawodd John Bunyan 'Daith y Pererin', ac yntau'n ysgrifennu yn y carchar. Roedd yr Arglwydd Iesu Grist mor dlawd fel nad oedd ganddo le i osod ei ben i lawr ond gadawodd ar ei ôl i ni gyfrinach bywyd tragwyddol. Beth fyddwn ni yn ei adael tybed?

(Ionawr 1986)

Y Neb a ddaeth yn Rhywrai

Ydych chi'n mwynhau'r Eisteddfod? Mae'n siŵr eich bod chi'n gweld digon ohoni ar y teledu, ac yn ei chlywed am oriau bwygilydd ar y radio.

Heddiw, mae'n ddiwrnod y Coroni a phawb yn edrych ymlaen i weld pwy a gaiff y wobr a'r anrhydedd. Ac y mae'n anrhydedd ennill un o wobrau mawr y brifwyl. Mi enillais i ran o wobr yn Eisteddfod Caernarfon ac rydw i'n cofio'r pleser a gefais, nid o dderbyn yr ugain punt yn gymaint, ond o glywed y beirniad yn canmol fy ymdrechion. Ac roedd deall mai llenor cystal ag Eigra Lewis Roberts oedd wedi derbyn y pedwar ugain punt– oedd yn weddill o'r wobr, yn bleser ychwanegol. Mi fuaswn i'n hoffi ymgeisio eto rywdro ond nid yw'r testunau fyth at ddant ysgriblwr am hen beiriannau fel fi, ysywaeth. Pan benderfyna pwyllgor llên goleuedig wahodd traethodau ar ddylanwad y *Citroen deux-chevaux* ar fywyd cefn gwlad Llydaw neu 'Atgofion dychmygol dyn cau ac agor giatiau y *Greater Cwmsgwt Railway*', bryd hynny mi enilla' i. Ond nid cynt.

Dro'n ôl roeddwn i'n darllen astudiaeth Feiblaidd gan Emyr Roberts, y Rhyl, ar lythyr yr Apostol Paul at y Corinthiaid. Ei bennawd i'r dadansoddiad oedd hwn, 'Y Neb a ddaeth yn Rhywrai'. Dyna i chi ddiffiniad da o'r gamp o ennill cadair neu goron. Mae rhywun sy'n neb, neu'n gymharol ddi-sôn-amdano, o gymryd un daith fach o'r gynulleidfa i flaen y llwyfan, yn cael ei wneud yn Rhywun am y dydd. Rhywun mawr iawn y diwrnod hwnnw, rhywun reit fawr ar hyd yr wythnos a rhywun parchus iawn weddill ei fywyd — y Prifardd Hwn a Hwn, ac os ydi o'n weinidog, y Parchedig Brifardd. A ellid dyrchafu dyn yn uwch?

Sôn am ddyrchafu ychydig yn wahanol y mae Paul. Pobol hynod gyffredin ydi aelodau Eglwys Corinth. Dydyn nhw ddim yn ddoethion, yn alluogion nac yn foneddigion ond fe'u dyrchafwyd gan Dduw i dderbyn ei iachawdwriaeth. Does dim angen bod yn glyfar, yn fardd nac yn gerddor i ennill gwisg wen yn y Nef, dim ond edifeirwch, ffydd ac ymgysegriad. Un yn unig a fedr gerdded i'r llwyfan y prynhawn 'ma ond mi fedrwn ni dderbyn cynnig Iesu Grist o fywyd tragwyddol ynddo fo yn ein miloedd. Mae Duw'n cofio pob neb ohonon ni ac yn ysu am gael ein dyrchafu'n rhywrai yn ei deyrnas — ond mae'n rhaid i ni gydsynio.

(Awst 1986)

Cynnau'r Fflam

Wel, ambell fore rydw i wedi blino erbyn cyrraedd y gwaith. Yr hen danau 'ma, 'dach chi'n gweld, sy'n diffodd yn llechwraidd liw nos gan adael y tŷ acw'n oer fel cromen esgimo.

Rhyw dŷ od ydi o, wir. Mae'n ddwy ran, rywsut — hen fwthyn sydd o leiaf ganrif a hanner oed, ac estyniad sy'n rhyw ddeg ar hugain, efallai. Ac am eu bod nhw ar wahân, bron, mae angen dau dân yn nhrymder gaeaf. Ac O! yr alanas os diffoddith un ohonyn nhw. Bryd hynny mae Jôs yn gorfod gwisgo hen drowsus a mynd ar ei bennau gliniau gerbron y teclyn ac ymlafnio hefo brigau, papur newydd, glo, ffeiarleitars a matsys i geisio ailgynnau. Beth ydi ffeiarleitar yn Gymraeg, ysgwn i? Tanwydden?

Dau beiriant cynhesu cwbwl wahanol sydd acw. Un o'r peiriannau haearn bwrw, llosgi popeth 'ma ydi un, a'r llall yn beiriant glo carreg mân yn llosgi ddydd a nos — i fod. Mae hwnnw braidd yn anodd mynd ato rhwng y peiriant golchi a'r popty. Yr hyn sy'n fy synnu ydi mor anwadal ydi'r ddau wrth gynnau. Weithiau, os bydd hi'n dywydd mawr y tu allan, mi fydd y tân yn cydio'n syth ac yn wenfflam ymhen dim. Bryd arall, mi fydda' i, yn fy nghynddaredd, wedi malu coesau hanner cant o fatsys yn chwilfriw mân wrth geisio cael tân. Tywydd tawel fydd y tu allan bryd hynny fynychaf. Diffyg drafft, dim gwynt, ac maen nhw'n anobeithiol. Digon o wynt a drafft ac mae'r ddau yn tynnu am y gorau.

Felly mae hi gyda'r Efengyl 'ma y mae rhai ohonon ni'n gredwrs ynddi, decini. Mae angen Nefol wynt i gynnau'r fflam yng nghalon dyn. Ac yng Nghymru, mae hwnnw'n brin iawn y dyddiau yma er ei fod o'n chwythu'n gryf mewn llawer rhan o'r byd. Mae'n beth real iawn pan ddigwydd. Roedd o mor real i'r saint slawer dydd yn y Waunfawr 'cw, roedden nhw'n medru dweud ar ba ochor o'r stryd roedd yr Ysbryd Glân yn cerdded. Roedd fflam yr Efengyl yn llosgi'n eirias yng nghalonnau dynion ac yn ysgubo cannoedd i'r capeli i addoli'r Duw mawr oedd yn creu rhyfeddodau o'u cwmpas.

Oes yna rywbeth a ddaw â'r nefol wynt i Gymru eto, mewn nerth? Pan fydda' i'n cynnau tân, mi fydda' i'n paratoi'n ofalus — y papur, y coed, y glo ac ati. Ac mi fentra' i ddweud y daw'r nefol wynt i Gymru yn ôl rhyw ddydd pan fydd Cristnogion Cymru wedi paratoi'r tir fel y gwnâi'r saint erstalwm, trwy weddi ac ymbil a gwaith.

(Ebrill 1988)

Trechu Amser

Peth od ydi amser, yntê? Peri siom i mi mae'r stwff fel rheol am fod cymaint ohono'n mynd heibio, yn enwedig pan fydda' i'n mwynhau fy hun. Deffro'r bore ac ymbalfalu ar y llawr wrth ymyl y gwely am fy wats — a gwn, mi wn nad dyna'r lle delfrydol i gadw wats. Chwarter wedi chwech. Dim amser i orweddian. Rhaid neidio o'r gwely a pharatoi brecwast i'r wraig, y plant a'r ddwy gath. Pam mae angen ufuddhau i'r meistr hwn arnon ni i gyd? Hen feistr creulon, hefyd, yn ein chwipio ni ymlaen trwy fywyd mor gwbwl ddidostur.

Ac mae'n chwarae triciau â ni, hefyd. Bod yn hir, hir weithiau pan fyddwch chi'n disgwyl yn bryderus am alwad ffôn neu'n gobeithio'n fawr y gwnaiff hi beidio â bwrw er mwyn i chi gael rhoi'r dillad allan i sychu. A phryd arall, wedyn, mae o'n carlamu heibio pan fyddwch chi'n gwir fwynhau eich hunan. Ond prun ai ydi o'n cerdded yn araf ynteu'n rhuthro, mynd mae o. Fedrwn ni fyth gynhyrchu mwy ohono fo nag sydd, ac yn amherffaith ddigon y medrwn ni ei alw fo yn ôl trwy gyfrwng ffilm, ffotograff, fideo neu lawysgrifen.

Ond mae 'na un sy'n feistr corn ar amser. Duw ydi hwnnw. Ys dywed ei air O, 'Mae un dydd gyda'r Arglwydd megis mil o flynyddoedd, a mil o flynyddoedd megis un dydd.'

Yn yr Hen Destament, mae 'na stori ryfeddol am y frwydr rhwng yr Israeliaid a'r Amoriaid, ac am y modd y gwnaeth Duw i'r haul sefyll yn ei unfan yn uchel yn yr awyr. 'Felly yr haul a safodd yng nghanol y nefoedd ac ni frysiodd i fachludo dros ddiwrnod cyfan.'

Roedd Duw wedi stopio amser. A thrwy'r Beibl i gyd, ac ar hyd y canrifoedd, mi glywn ni hanesion am gredinwyr yn trechu amser trwy nerth Duw. Dyna Richard Wurmbrandt a dreuliodd flynyddoedd mewn cell ar ei ben ei hun a dod allan yn fuddugoliaethus, wedi'i gynnal, meddai ef ei hun, gan nerth Duw; a Henry Martyn, wedyn, a fu farw yn ei ugeiniau, wedi cyflawni gwaith mawr mewn amser byr, yn cyfieithu'r Beibl i un o ieithoedd yr India.

Ydi amser yn pwyso'n drwm arnon ni heddiw? Mi all Duw ein helpu ni i'w drechu, ac i roi trefn arno. Beth am roi cynnig ar ofyn iddo?

(Ebrill 1988)

Cyd-ddioddef

Bore da iawn i chi ar fore prudd a ninnau wedi clywed unwaith eto am ddamwain ddychrynllyd. On'd ydi 1988 wedi bod yn flwyddyn ddifrifol am ddamweiniau? 'Mae gen i ofn codi yn y bore y dyddiau hyn,' meddai rhywun wrtha' i'r bore 'ma, 'rhag ofn clywed fod rhywbeth arall ofnadwy wedi digwydd.'

Mae dyn yn bownd o ofyn ymhle y mae Duw ynghanol hyn oll a pham na fedr o roi terfyn ar yr erchyllterau — o leiaf dros ŵyl y Nadolig. Daeth y pennawd papur newydd yna a welwyd yn dilyn trychineb Armenia i'r meddwl — *'The People God Forgot.'* Dangosodd y llun o dan y pennawd bobol dorcalonnus yn chwilio trwy'r rwbel am eu hanwyliaid, a'r bore 'ma, wrth weld lluniau o famau yn wylo am eu plant ym maes awyr Efrog Newydd, dôi'r cwestiwn eto i'r meddwl — Sut medrwn ni ddal i gredu yn wyneb trychineb arall eto?

Ddwy fil o flynyddoedd yn ôl, bu mam arall yn wylo am ei phlentyn wrth ei weld o'n marw mewn ffordd boenus o hir ar groes arw o bren. Ynghanol sentimentaleiddiwch y Nadolig rydyn ni'n fynych yn anghofio mai pwrpas geni'r baban tlws a ddaeth i'r byd oedd marw. Mae'n rhaid bod y byd yn ymddangos yn lle du iawn i Mair y prynhawn hwnnw pan fu'r Iesu farw ar y groes. Roedd yn ymddangos iddi hi, efallai, fel pe bai o wedi colli'i fywyd mewn ffordd ddibwrpas a diystyr ond yng nghyflawnder yr amser daeth pwrpas ei farwolaeth i'r amlwg. Fe fu o farw er mwyn dod â miliynau o bobol yn ystod y ddwy fil o flynyddoedd i heddwch gyda Duw.

Pa gysur a fedr y Cristion ei gynnig heddiw i bobol sy'n dioddef profedigaeth neu boen ingol o unrhyw fath heb swnio'n wirion ac yn arwynebol? Hyn: fod Duw hefyd yn cyd-ddioddef â ni ac yn barod i gynnig cysur a, mi fentra' i ddweud, llawenydd o wybod nad y byd hwn ydi'r cwbwl. Corrie Ten Boom sy'n adrodd hanes amdani hi ei hun yn ymweld â bachgen ifanc ar fin marw mewn ysbyty ac yn cael ei hun yn egluro wrtho fod bywyd fel cefn tapestri â'r edau'n mynd i bob cyfeiriad yn ddryswch hyll a dibatrwm. Ond o'i droi drosodd, daw harddwch a pherffeithrwydd y darlun i'r golwg.

Yn wyneb hyn oll, mae dewis eglur yn ein wynebu os ydyn ni'n arddel Iesu Grist. Pa werth sydd i ni ein galw'n hunain yn Gristnogion yn y byd sydd ohoni heddiw os nad ydyn ni wedi ymrwymo gant y cant i fyw ei fywyd ef? Dywedodd yr Iesu fod y sawl sy'n cadw ei fywyd ei hun yn ei golli ond bod y sawl sy'n colli ei fywyd trwy ei roi at ei wasanaeth ef yn ei gadw i fywyd tragwyddol.

Faint ohonon ni sydd wedi rhoi pob dim a feddwn ni ar allor Iesu Grist? Dim ond ffydd felly, mae'n ymddangos i mi, sy'n ystyrlon ar drothwy 1989, a dim ond pobol sy'n meddu ar y math yna o ffydd a fydd yn medru torri allan o'r hunanoldeb i gynnig gwir gysur i'r sawl sy'n dioddef.

Ein Tad, fe drown atat ti â gofid yn ein calonnau oherwydd yr hyn a ddigwyddodd neithiwr yn Lockerbie. Ac o ganol ein tristwch a'n galar, ein Tad, fe drown atat gan ofyn i ti fod gyda'r rhai ar y ddwy ochor o Fôr Iwerydd sy'n galaru o golli eu hanwyliaid heddiw. Bydd yn gymorth hawdd dy gael iddynt a chymorth ni i gredu fod pwrpas i bob dim sy'n digwydd, hyd yn oed os na fedrwn ni ddweud beth ydi o. Ac yn awr, bydded i ras ein Harglwydd Iesu Grist a chariad Duw a chymdeithas yr Ysbryd Glân fod gyda ni oll hyd byth. Amen.

(Rhagfyr 1988)

Gogoniant y Cread

Wel, mi gefais i brofiad pleserus y dydd o'r blaen. Bûm yn hoff iawn o drenau erioed a dyma fentro, pan ddaeth y cyfle, am dro ar hyd lein fach y Trallwm a Llanfair Caereinion. A dyna brofiad hyfryd am fwy nag un rheswm. Roedd hi'n brynhawn braf o ha' bach Mihangel, a chefn gwlad Maldwyn yn ei ogoniant — caeau, cloddiau, ffyrdd bach yn arwain at fferm a phentref, moch a gwyddau ar ambell fuarth wrth ochor y lein. Dyfaru roeddwn i nad oedd gen i gamera fideo i groniclo'r cwbwl a rhoi'r ffasiwn wledd ar gof a chadw'n barhaol.

A'r trên, wedyn. Roedd yn un o injans stêm gwreiddiol y lein, y *Countess*, gyda thri o gerbydau amrywiol iawn eu gwedd — dau ohonyn nhw o lein fach yn Awstria, y *Zillertalbahn*, ac un mwy o Sierra Leone. Ar goets ola'r trên y teithiais i, un a fu erstalwm yn ennill ei chynhaliaeth wrth gludo teithwyr trwy'r Alpau. Yn rhyfedd iawn, roedd ganddi feranda ar bob pen, yn debyg i'r cerbydau a welwch chi'n aml ar ffilmiau am y Gorllewin Gwyllt. Ac yno, ar y feranda, roeddwn i'n syllu ar ryfeddod y wlad hardd hon yn symud heibio, fawr cynt na deng milltir yr awr. Wrth i ni dramwyo fel hyn, roedd dail yr hydref yn disgyn o'r coed ac yn gorwedd yn dawel ar y lein o'n hôl gan greu'r argraff wrth i mi edrych ar y carped amryliw rhwng y cledrau mai ni oedd yr unig rai a fu'n teithio'r ffordd hon ers misoedd. Nefoedd, yn wir, i ddyn ar bnawn braf oedd eistedd ar y feranda hon a gwylio'r byd yn ei ogoniant yn mynd heibio.

Wel, pam sôn am lein fach Llanfair y bore 'ma? Oedd, mi roedd gogoniant creadigaeth Duw i'w weld o goets fach y *Zillertalbahn* reit i wala. Ac mi gofiais i am eiriau agoriadol y Bedwaredd Salm ar Hugain.

'Eiddo yr Arglwydd y ddaear a'i llawnder, y byd a'r rhai sy'n byw ynddo. Oherwydd ef a'i sylfaenodd ar y moroedd, a'i sefydlu ar yr afonydd.'

A chofio stori hefyd am ddyn a wrthodai gydnabod bodolaeth Duw. 'Mi wnawn i ddileu popeth sy'n sôn am Dduw,' cyhoeddodd hwnnw. A dyma ffermwr yn holi gan gyfeirio at y sêr a'r mynyddoedd â'i ddwylo, 'A sut ydach chi'n mynd i dynnu'r rhain i lawr a symud y rhain?'

(Hydref 1986)

Gosod y Seiliau

Ew, mae hi'n brysur acw gyda'r nosau 'ma. Mae Jôs wrthi, welwch chi, yn codi garej, neu ryw lun o blatfform i osod garej ar ei ben o. Mi fûm i ar un cyfnod yn ddyn garej mawr, yn treulio pob gyda'r nos rydd yn adfer sgerbwd o gerbyd i'w hen ogoniant. Does dim sy'n well i wella dyn o'r clwy arbennig hwn na gwneud y gwaith, o ddifri. Blino wnes i a gwerthu'r car, ar ôl yr holl lafur. Ond mae'n rhaid cyfaddef fod yna rywbeth therapiwtig iawn mewn treulio gyda'r nos ar brosiect hir mewn garej dda yn gwneud rhyw waith sy'n gofyn hir amynedd a dyfalbarhad. A dydi ceir modur, at ei gilydd, ddim yn cwyno, yn ateb yn ôl nac yn gweiddi am gael newid eu dillad bob dwyawr. Ar brydiau, felly, nefoedd ydi cael encilio i'r garej.

Ond ow, diar, doedd ein garej ni ddim yn rhyw saff iawn. Bwthyn â muriau o gerrig sychion oedd yma erstalwm ac roedd rhywun wedi codi waliau brics ar ben yr adfail a gosod to sinc a dyna ni, modurdy gwerth chweil. Ond doedd dim lle i droi car o'i flaen, nac i barcio ceir ymwelwyr, a chan fod wal gefn yr hen garej yn ddigon peryglus, dyma'i chwalu a gwthio'r cerrig i'r pant y tu ôl iddo i wneud platfform anferth a fyddai'n ddigon eang i barcio pedwar car. Yna, codi wal o amgylch y cwbwl i ddal yr holl gerrig a'r gro angenrheidiol a bwrw iddi i gloddio sianel hir drwy'r pridd er mwyn gosod sylfeini.

Rŵan, â'r wal ar ei hanner, rydw i'n gweld yn iawn mor bwysig ydi'r sylfeini. Mi feddyliais i'n aml a oedd gwir angen ymlafnio â chaib a rhaw i wneud twll mor ddyfn â hyn. Ond o edrych nawr ar ddyfnder y concrid a chadernid y blociau a'r sment a godwyd, rydw i'n siŵr fod yr holl gloddio wedi bod yn hollol angenrheidiol i gryfder y wal.

Wrth gwrs, mi ddisgynnodd Ifan Jôs, dwy oed, i grombil y twll sawl gwaith a'i chwilfrydedd naturiol yn ei arwain i drybini fel arfer. Mae angen sylfeini arno yntau hefyd — sylfeini i gymeriad bach amgenach a chadarnach hyd yn oed na choncrid. Mi fydd o, gobeithio, yn ymwybodol o gariad ei dad a'i fam tuag ato fo ond, yn fwy na hynny, rydyn ni'n dau yn awyddus iddo yntau adeiladu ei fywyd ar y sylfaen cadarnaf posibl — ymwybyddiaeth o gariad Duw tuag ato fo ac ymddiriedaeth yn ei air yn y Beibl. Mae'n ddrwg gen i os ydych chi'n anghytuno, ond fedra' i ddim meddwl am sylfaen cadarnach i fywyd neb.

(Hydref 1986)

Jeriwsalem o'r Nef

Fuoch chi ym Mharis erioed? Mi gefais i'r cyfle i fynd yno sawl gwaith, er mae'n rhaid dweud ei bod hi'n ddeng mlynedd mae'n siŵr ers pan fûm i yno'r tro diwethaf. Ond mi fu cyfaill i mi o'r gwaith yno'n ddiweddar, ac wrth wrando arno'n disgrifio'r ddinas dros baned bore ddoe, daeth ton o hiraeth drosof am y dyddiau hynny, sawl blwyddyn yn ôl bellach, pan aeth criw ohonon ni — mewn fan Morus Mil cofiwch — i Baris i fwynhau harddwch y ddinas — a gêm rygbi hefyd — er na fedrwn i gofio dim am honno wedi dychwelyd heblaw bod Cymru wedi ennill a bod yno griw o Lydawiaid hefo baner yn cyhoeddi, *'Paris Bretons support Wales.'*

Ond a dychwelyd at y ddinas; wir, mae hi'n hardd, a'r glendid a'r dillad *chic* y mae'r trigolion yn ymhyfrydu ynddyn nhw yn gwneud i Lundain ymddangos fel gwersyll i hipis crwydrol. O sefyll ar ben Tŵr Eiffel, lle roedd rhywun wedi gosod sticer 'Cymraeg' dros y rhybudd *'Gardez vous de pickpockets'*, mi welech yr afon Seine yn rhannu'n ddwy o boptu'r *Isle de la Gite Saint Louis*, a'r gerddi hardd yn ymestyn gryn hanner milltir i lawr hyd at y Coleg Militaraidd. Yn y pellter draw wedyn, yr *Arc de Triomphe* a bedd y milwr anhysbys, yng nghanol y rowndabowt gwyllta' a blera' yn y byd mae'n siŵr gen i, a'r *Champs Elysées* yn arwain at y *Place de la Concorde*, Gerddi'r *Tuilleries*, a'r *Louvre*. Sut mae cyfleu rhin a rhamant y lle mewn sgwrs fer fel hon, wn i ddim, ond mi ddalltwch, mae'n siŵr, fod Jôs wedi mwynhau bod yno, a'i fod o'r farn fod hon yn ddinas hollol ffantastig.

I'r Cristion, ie, hyd yn oed hwnnw sydd wedi gweld rhyfeddodau dinasoedd mawr y byd, mae 'na ddinas arall nas gwnaed gan ddyn, a thua'r ddinas honno mae'n anelu ei gamre — y Jeriwsalem newydd a grëir pan ailsefydlir teyrnas Dduw ar y ddaear. Ydych chi'n cofio'i disgrifio yn emyn R. S. Rogers:

> Rho imi weld y ddinas
> Nad ydyw o waith llaw,
> Yn disgyn yn ei thegwch
> Dros drothwy'r oes a ddaw;
> Heb ynddi fyth i'w blino,
> Na loes na chwerw lef;
> O Arglwydd gad im weled
> Jeriwsalem o'r nef.

Mi hoffwn i fod yn fwy na thwrist yn y ddinas hon — cael bod yn un o'r trigolion. Hoffech chi? Dydd da i chi.

(Mai 1986)

Cred yn Nuw a gwna dy Waith

Ysgwn i a ydych chi wedi meddwl erioed mor bwysig ydi anwyldeb mewn Cristion. Fe gollais i gyfaill y dydd o'r blaen a oedd yn ddyn annwyl iawn. Ac os ca' i, mi sonia' i wrthych chi amdano'r bore 'ma, oherwydd roedd John Tŷ Mawr, fel y bydden ni'n ei alw, yn gymeriad arbennig iawn; nid yn unig oherwydd hyfrydwch ei bersonoliaeth a'i ffyddlondeb i'w gyfeillion a'i deulu, ond am ei fod yn cynrychioli, i mi, beth bynnag, y Cymro Cymraeg ar ei orau glas.

Ffermwr oedd John William Jones, yn byw yn y Tŷ Mawr, Prion, ar lethrau Dyffryn Clwyd ond yn enedigol o'r Hafod Lom ar dopiau'r Brenig. Gwladwr bonheddig oedd o ac yn Gymraeg y'ch cyfarchai bob amser â brwdfrydedd, yn falch o'ch gweld ac yn chwilio am gyfle i dynnu arnoch chi.

Mae tynnu coes yn rhan annatod o fywyd cylch Hiraethog ac, i John, roedd hi'n gelfyddyd. Byddai rhyw awgrym ar ganol brawddeg, rhyw bwniad bach geiriol ynghylch rhywbeth a wnaethoch chi sbel yn ôl yn ddifeth yn codi'r awydd arnoch chi i bwffian chwerthin a chwilio am achos i dynnu'i goes yntau yn ôl. Ei ddawn ddihafal i gysgu'n sownd, sownd fyddai'n ei chael hi fel rheol. Pan ddisgynnodd bom yn ymyl Tŷ Mawr yn ystod y rhyfel, mi ddeffrodd John ar lawr, wedi'i hyrddio yno gan rym y glec ond heb ddeffro tan wedyn. A phan atgoffech ef o bethau felly, mi befriai ei lygaid a dawnsio â'u llond nhw o chwerthin iach. Llithrai'r sgwrs yn naturiol o'r naill stori ddoniol i'r llall, a gwyddech nad oedd dim dichell na malais yn agos at ddireidi'r gŵr hwn. Roedd o'n drysor o gyfaill ac os oedd iddo ffaeleddau, welais i mohonyn nhw erioed na chlywed neb yn yngan gair amdanyn nhw.

'Cred yn Nuw a gwna dy waith,' — dyna, meddai'r gweinidog, oedd y geiriau a ddyfynnai amlaf yn ystod ei ddyddiau olaf. Mi wnaeth John Jones y ddau beth ar hyd ei oes. Roedd o'n flaenor yng nghapel bach y Glyn ac fe'ch sicrhâi chi ar y Sul mor falch oedd pawb o'ch croesawu yn ôl yno i bregethu. Wn i ddim a ellid ei ystyried yn ddiwinydd mawr ond, chwedl pobol erstalwm, roedd gwreiddyn y mater ganddo. Roedd ei fyw a'i gred yn seiliedig ar Efengyl Iesu Grist a phan ddigwyddais i fynnu sgwrs ag adeiladydd a oedd yn codi wal yn Nhŷ Mawr rywdro, mi drodd hwnnw ata' i ac yngan y geiriau, 'Rwyt ti'n gwybod dy fod ti'n byw hefo Cristion fan hyn.' Ie, ys dywedodd un o'r gweinidogion yn angladd John ddydd Sadwrn, 'Mi fedr dyn gael ei adnabod wrth yr hyn mae o'n ddweud. Mi fedrwch chi nabod dyn wrth yr hyn mae'n ei wneud ond yn y pen draw, yr hyn ydych chi sy'n bwysig.'

Mi gyfoethogodd yr hyn oedd John Jones fy mywyd i a bywydau llawer o bobol eraill a does gynnon ni, yn ein tristwch o'i golli, ddim ond lle i ddiolch i'r Arglwydd am ei fenthyg tra cawson ni.

Ein Tad, cofia'r rhai annwyl yn ein mysg, yn arbennig y rhai llawen hynny nad oes ynddyn nhw na dichell na malais at neb. Cymorth ni i'w hefelychu ac i ddod atat ti mewn didwylledd a symledd calon, yn gariadus, yn llawen, yn dangnefeddus ac yn oddefgar, yn garedig a daionus, yn ffyddlon, yn addfwyn ac yn hunan-ddisgybledig. Yn edifeiriol, Arglwydd, ac yn grediniol. Er mwyn Iesu Grist. Amen.

(Rhagfyr 1989)

Gwrando ar Dduw

Mae dysgu iaith o'r newydd yn dipyn o gamp, 'dydi? Yr wythnos diwethaf wrth syllu drwy'r mân hysbysebion yn y papur lleol, mi welais ambell gwrs iaith ar dâp neu record yn cael ei hysbysebu: 'Costiodd gan punt a hanner. Ar werth am hanner hynny!' Ie, gwaith anodd ydi dysgu iaith, gwaith sy'n golygu ymroddiad a dyfalbarhad, a hunan-ddisgyblaeth. Ac mae'n hawdd torri calon a rhoi'r ffidil yn y to.

Mae 'na gwrs iaith — Ysgol Haf i ddysgu Cymraeg i bobol — yn cael ei gynnal yng Ngholeg y Brifysgol, Bangor ar hyn o bryd. Gwersi trwyadl drwy'r dydd ac ymarfer fin nos. Cwrs yn llawn sbort a sbri, a gwaith caled hefyd — dysgu a drilio, dysgu, drilio, a chael eich gorfodi i drechu'ch swildod a dechrau torri gair â'ch cymydog ac â'ch tiwtor. Ac nid rhyw ymarferiadau syml; 'Ydych chi'n dysgu Cymraeg?' a'r ateb traddodiadol 'Oes!' chwaith ond pethau anodd ddigon. 'Fyddwch chi'n mynd i Ymarfer Sgwrsio yn y Red Cow heno?' — a'r ateb, hunllefus i'r dysgwr, 'Byddaf'. Biti nad oes gynnon ni'r un gair yn y Gymraeg i gyfieithu '*Yes*'. Mae'n strach, 'dydi, chwilio drwy'r meddwl am 'gallaf', 'byddaf', 'oes' a 'do', a defnyddio'r gair cywir yn y lle priodol.

I'r rheini ohonon ni sy'n ymddiddori yn iaith y nefoedd — ac nid am y Gymraeg rydw i'n sôn rŵan — mi all y profiad fod yn anos fyth. Hefo hon eto, mae dyn yn gorfod tiwnio'i glustiau iddi. Un tro ar ôl clustfeinio ar Lydaweg am wythnos gyfan roedd fy nghlustiau i'n llythrennol yn brifo wedi'r ymdrech, ac felly y gall hi fod wrth i ni wrando ar lais Duw yn siarad â ni; 'y llef ddistaw fain' ys dywed y Beibl, y mae'n rhaid hyfforddi'n hunain i wrando arni, a bod yn sensitif iddi. Mae gofyn gwrando a gwrando. Ar y cwrs iaith mae 'na sawl llyfr, cwrs y peth yma a chwrs y peth arall, ond wrth ystyried yr hyn sydd gan lais y nef i'w ddweud wrthyn ni, does dim ond un brif ffynhonnell — y Beibl. Ac mae 'na bleser i'w gael o'i ddeall a'i dderbyn, 'does? Rhyw lawenydd dwfn sy'n goleuo bywyd i gyd.

Roedd cyfaill i mi wrth ei fodd y dydd o'r blaen yn sgwrsio â mi am y tro cyntaf yn yr iaith Gymraeg, ond cymaint mwy yw'r llawenydd rhwng pobol o bob rhan o'r byd pan fedran nhw, er gwaetha'u gwahanol ieithoedd, glosio at ei gilydd yn sŵn ac ieithwedd yr un efengyl hon — y Newyddion Da am y Duw sy'n ein caru ac a yrrodd ei fab i'r byd hwn i'n cadw rhag mynd i golledigaeth.

Mi fedrwn ni i gyd ddysgu 'iaith' yr Efengyl dim ond i ni ewyllysio hynny ac i Dduw osod yr awydd, y penderfyniad a'r dyfalbarhad yn ein calonnau i geisio dynwared bywyd Crist. Mae dysgu'r Gymraeg yn caniatáu i'r myfyrwyr ar y cwrs iaith ym Mangor fynediad i fyd newydd — byd y Cymro a'i ddiwylliant byw, diddorol. Ond mae dysgu iaith Duw yn dwyn mwy na hynny yn ei sgîl. Mae'n agor y drws i fywyd cyfoethocach, llawn cariad a llawenydd yma ar y ddaear yn ystod oes dyn, a chymundeb gorfoleddus â'r Tad Nefol hyd dragwyddoldeb.

(Gorffennaf 1989)

Colli a Chael

Ysgwn i a ydych chi'n debyg i mi, yn colli pethau byth a hefyd? Rhyw fyw â 'mhen yn y gwynt fydda' i'n aml, mae arna' i ofn, a'r meddwl yn crwydro fan hyn a fan draw, nes fy mod i'n gorfod sgwennu i lawr y ffeithiau rydw i eisiau'u cofio, a sicrhau fy mod i'n rhoi popeth fydd ei angen arna' i, naill ai yn fy nghar neu yn fy mhoced, ddyddiau ymlaen llaw ar gyfer y dydd a'r awr briodol. Rydw i'n casáu'r nodwedd hon yn fy natur fy hun. Synnwn i damaid chwaith nad ydi fy ngwraig a'm hysgrifenyddes hefyd yn ei gael o'n dipyn o dreial i'w ddioddef — yr anghofrwydd 'ma a'r dalent arbennig i golli pethau, yn enwedig offer hanfodol ar gyfer ein byw bob dydd, megis allweddi'r car!

Mae colli a chael yn themâu amlwg yn nysgeidiaeth Iesu Grist. Does dim yn peri mwy o lawenydd yn y nefoedd na chael hyd i'r hyn a gollwyd — yn ddafad, yn ddarn arian, neu'n fab afradlon.

Mi gefais i fraw ddoe o weld fod fy llun wedi diflannu. Na, nid fy llun i ond llun a roddwyd i mi'n anrheg gan Americanwr, llun sy'n hongian ar wal fy swyddfa ym Mryn Meirion. Ffotograff o ddau arwr i mi a fu'n brwydro yn Rhyfel Cartref America sef y Corporal John Griffith Jones o Benisarwaun a'r Corporal John Wynne Jones o Gei Newydd — y Parchedig John Wynne Jones yn ddiweddarach, un o'r gweinidogion hyfrytaf ei bersonoliaeth a thrylwyraf ei waith yn yr Unol

Daleithiau. Wedi'i chwyddo o faint bach iawn y mae'r darlun sydd gen i ac wedi ei liwio'n chwaethus gan arlunydd mewn stiwdio ffotograffig yn Tucson, Arizona. Llun sy'n annwyl iawn gen i. Felly, medrwch ddychmygu fy nghonsyrn pan welais ei fod wedi diflannu. Doedd dim ond pedwar darn o lud clai lle bu a dim golwg o'r llun yn unman. Dyna banic yn syth. Chwilio'r swyddfa, rhuthro i ofyn, 'Welsoch chi'r llun?' Na, gan bawb, hyd nes i un cyfaill awgrymu'n graff y dylwn ofyn i'r glanhawyr. Do, fe gafwyd hyd i'r darlun. Yng ngwres y dydd roedd y glud clai wedi sychu a'r llun wedi disgyn, nid i'r llawr, sylwer, ond i'r fasged sbwriel. Cafwyd hyd iddo, mewn pryd diolch i'r drefn, mewn bag bin yn y sgip y tu allan.

Y fath ryddhad, yntê? Dagrau o lawenydd, bron. Wedi colli rhywbeth gwerthfawr i mi, a'i gael eto.

Fedrwch chi ddychmygu cymaint mwy ydi llawenydd Duw o weld person yn dychwelyd ato? Nid *peth*, a rhyw werth sentimental iddo, ond plentyn i Dduw, gwaith ei ddwylo, un sy'n cael ei garu'n angerddol ganddo. Heddiw, mae Duw yn disgwyl amdanon ni, ei feibion a'i ferched afradlon, fel y gwnaeth y Tad yn nameg Iesu: 'A phan oedd eto ymhell i ffwrdd, gwelodd ei dad ef. Tosturiodd wrtho, rhedodd ato, rhoes ei freichiau am ei wddf a'i gusanu.'

Ddychwelwn *ni* at y Tad ydi'r cwestiwn. Rown *ni* gyfle iddo'n cofleidio a llawenhau?

(Gorffennaf 1989)

Troeon yr Yrfa

Bore da i chi. Wel, yn wleidyddol, mae'r dyddiau yma yn ddyddiau llawn cyffro, 'dydyn? Roedd rhywun yn dweud y dydd o'r blaen fod tywydd poeth fel hyn yn creu rhyw fywiogrwydd anniddig, rhyw 'fyw ar bigau'r drain' mewn pobol. A bwrw bod hynna'n wir, ysgwn i a fuasai Mrs Thatcher wedi newid cymaint ar ei chabinet pe bai'r tywydd yn oer, oer? Go brin, efallai! Roedd Michael Burke, wrth gyflwyno'r newyddion a welais i neithiwr, yn llwyddo i gyfleu cyffro'r achlysur i'r dim. Ambell newid hir-ddisgwyliedig, ond llawer o siocs. Hen lawiau'n cilio a sêr newydd yn ymddangos. Mae dyn yn cydymdeimlo â John Moore; does ond dwy neu dair blynedd ers pan oedd amryw yn credu mai ef fyddai olynydd Mrs Thatcher. Rhaid cydymdeimlo â Paul Channon hefyd. Fe ddilynwyd trasiedi personol iddo ef gan drasiedïau lu yn yr awyr ac ar y rheilffyrdd, ac y mae'n siŵr ei fod o heddiw'n ceisio dyfalu pam yr aeth cynifer o bethau o'u lle mewn cyn lleied o amser.

Ond i mi, John Cole, y sylwebydd gwleidyddol miniog ei feddwl hwnnw o Ogledd Iwerddon, a drawodd yr hoelen ar ei phen wrth grynhoi cynnwrf a phoen gwleidydda neithiwr. Geiriau fel hyn oedd ganddo, *'An exciting game of musical chairs — but many of those chairs have drawing pins on them.'* Ydi, mae'n *'tough at the top'*, ac mae cwymp dyn, yn ogystal â'i ddyrchafiad, yn medru bod yn fawr. Ac yn hynny o beth mae bywyd y gwleidydd yn medru bod yn ddrych o'n bywydau ninnau. Gall siom ddilyn llwyddiant a llwyddiant ddilyn siom, gan beri i ni edrych yn ôl ar ddigwyddiadau a holi'n hunain, 'Pam ar y ddaear las y digwyddodd pethau fel yna?' Mae'n anodd i ni ddygymod â methiant, yn sicr, mewn byd sy'n prisio llwyddiant uwchlaw pob dim.

Diolch i Dduw, yn llythrennol felly, nad fel 'na mae'r ffordd Gristnogol o fyw yn gweld pethau. Nid llwyddiant, materoldeb nac eiddo personol sy'n plesio Crist. Rydyn ni isio tŷ crand — 'na chwennych dŷ dy gymydog,' medd y Deg Gorchymyn. Rydyn ni am dra-arglwyddiaethu ar eraill — 'Paid â chynllunio drwg yn erbyn dy gymydog,' medd y Diarhebion. Car crand — 'Nid yw'r Arglwydd yn ymhyfrydu mewn nerth march,' medd y Salmydd, ac mae 'na dinc rhyfeddol o fodern yn hwnna! At ei gilydd y di-nod, y diniwed, a'r distadl sy'n cael clod yn y Beibl, y sawl sy'n caru Duw yn Iesu Grist ac sy'n ufudd i egwyddorion yr Efengyl. Y rheini sy'n cofio nad oes angen casglu trysorau ar y ddaear, a bod hel trysorau'r nef yn bwysicach o'r hanner. Mae'n braf deall y medr y sawl sy'n cael ei gyfri'n fethiant ym marn ddidostur y byd, gael ei gyfri'n frenin lle mae'n cyfri go iawn. Ac ar daith bywyd, sydd mor ansicr, mae'n dda gwybod bod Duw yno'n sylfaen cadarn i bwyso arno yn ein ffydd a'n gweddïau.

(Gorffennaf 1989)

Dioddefaint

Ysgwn i ydych chi fel fi yn ofni ein bod ni'n mynd yn ansensitif i ddioddefaint pobol eraill y dyddiau hyn. Rhyw ddychryn braidd wnes i neithiwr wrth wylio'r teledu a gweld ar newyddion naw y BBC luniau o Kiev yn yr Ukraine. Darn o Swyddfa'r Post yno oedd wedi disgyn ar ben torf ac wedi lladd llawer, roedd hi'n amlwg. A meddwl wnes i â mi fy hun, mor oer y medr ymateb dyn fod i drasiedïau fel'na. Syllu ar y sgrîn fel pe bai'r cyfan yn ddrama ddogfennol, yn rhyw ffilm erchyll wedi'i greu ar gyfer ein difyrrwch ni, yn hytrach nag ymdeimlo i'r byw â dioddefaint cannoedd, efallai, o fodau dynol tebyg i ni wedi'u gwasgu i farwolaeth gan gerrig trymion. Pe baen ni'n teimlo i'r byw ynglŷn â phob eitem drist o newyddion mi fyddai bywyd yn amhosibl, siŵr o fod. Cyfnodau hir o'r felan yn dilyn pob bwletin. Ond dychryn i ddyn ydi sylweddoli ei fod o'n medru gwylio'r gwaed yn llifo heb *dosturio* rhyw lawer, hyd yn oed.

Gweld ffoaduriaid sy'n ennyn yr ymateb ffyrnicaf ynof i. Teuluoedd cyfan, o Fietnam efallai, yn gadael eu cynefin oherwydd trais dyn a cherdded neu hwylio draw i ryw yfory newydd, llawn ansicrwydd a dychryn. Rhai'n gafael mewn ychydig eiddo, eraill heb ddim. Plant bach dryslyd yn gafael yn dynn yn eu mamau a'u hwynebau'n holi pam. Pam rydyn ni'n mynd y ffordd yma, beth ddigwyddodd i'n cartref, i'n perthnasau? Profiad y bydda' i, o'i weld, yn ceisio'i ddal o hyd braich, ond yn methu gan amlaf. Cynddeiriogi at y gwleidyddion barus sydd, fel arfer, wedi achosi'r alanas. Sut medr dyn drin ei gyd-ddyn mor ffiaidd, mor annynol?

Ond tybed nad syllu ar frycheuyn yn llygad rhywun arall ydi hynny mewn gwirionedd, a methu gweld y trawst yn ein llygaid ein hunain. Achos mae pob drama fawr wleidyddol yn adlewyrchu'r dramâu llai sy'n digwydd yn ein cymdeithas, yn ein cartrefi hyd yn oed. Dyn â chyllell yn ymosod ar rywun arall ar nos Sadwrn; gwladwriaeth yn ymosod ar un arall gydag awyrennau; beth ydi'r gwahaniaeth? Dim ond maint yr ymosodiad siawns. Unben yn hel ffoaduriaid o'i wlad a'r tad yn hel ei ferch oddi cartref am iddi feichiogi'n anghyfreithlon; yr un diffyg cariad a diffyg maddeuant sy'n nodweddu'r gweithredoedd, yntê? Pobol o fewn pentref neu deulu yn ffraeo â'i gilydd, a'r gwledydd yn y Cenhedloedd Unedig yn gwneud yr un fath yn union. Mi fedr y gwleidydd wneud pethau'n annifyr iawn i filoedd ond mae gan bob un ohonon ni'r gallu i ddinistrio a chreu anhapusrwydd o fewn ein cylch bach ein hunain.

A dyna pam, i mi, y mae lledaeniad Cristnogaeth drwy'r byd mor bwysig. I wledydd a'u llywodraethau, yn ogystal ag i unigolion, mae'r gorchmynion ar i ni garu Duw yn Iesu Grist a charu'n gilydd — 'Câr dy gymydog fel ti dy hun' — o'r pwys mwyaf. Oes 'na unrhyw ffordd arall o fyw, unrhyw gredo arall y gwyddoch chi amdano, sydd â chymaint i'w gynnig i'r byd sydd ohoni ag sydd gan hwn?

(Awst 1989)

Henaint

Ysgwn i a welsoch chi hanes Menna Keel ar y newyddion neithiwr? Gwraig bedwar ugain oed ydi Menna Keel, sydd newydd gyfansoddi symffoni newydd, symffoni ardderchog, creadigaeth o bwys meddai'r beirniaid wedi iddynt glywed y gwaith yn cael ei berfformio yn rhan o'r *proms*. Yn wir roedd cymaint clod i'w gwaith nes bod pawb ar eu traed ar y diwedd yn cymeradwyo a chymeradwyo. Go dda, yntê? Braf ydi clywed am lwyddiant felly ac mae gwir angen llongyfarch pobol sy'n dal i lwyddo a hwythau mewn oed.

Ac mae hynna'n codi cwestiwn. Ydi rhywun mewn gwth o oedran pan fydd yn bedwar ugain oed ac ydi hi'n amser rhoi'r gorau i bopeth, i bob ymdrech ar ein rhan, o weld ein hunain yn heneiddio? Mi fydda' i'n tynnu fy nghoes fy hun weithiau, trwy fynnu fy mod i, siŵr o fod, yn mynd ar i waered 'nawr, wedi dathlu pen-blwydd go bwysig. Yr ateb i'r cwestiwn, ac i'r agwedd meddwl yna, mae'n siŵr, ydi 'NA!' Rydw i'n cofio i rywun ofyn i artist go enwog unwaith, 'Sut ydach chi'n teimlo pan fyddwch chi'n deffro yn y bore?' ac yntau'n wyth deg wyth mlwydd oed. 'Syfrdan!' oedd ei ateb ond daliodd ati i greu tan y diwedd. Yn ystod y blynyddoedd diwethaf 'ma rydyn ni wedi gweld athletwyr yn eu saith-wyth- a'u nawdegau'n cymryd rhan mewn chwaraeon ar y teledu. A dyna Menna Keel hithau'n cael ei darganfod

— yn athrylith yn bedwar ugain. Mewn gwirionedd mae gan bob diwrnod ei bosibiliadau, ei wersi, a'i gyfle i fyw bywyd i'r eithaf, er gwaethaf unrhyw gyfyngiadau sydd arnon ni.

I'r Cristion, mae 'na gymhelliad arall hefyd. Os ydi dyn yn mentro trwy fywyd â ffydd yn ei galon a sicrwydd fod Duw yno'n ei gynnal a'i warchod, nid yw oed yn poeni llawer arno wedyn. Mae pob dydd yn gyfle i garu a gwasanaethu, i 'ddweud rhyw air bach dros fy Nuw' chwedl Tecwyn Ifan ac yn gyfle hefyd i ryfeddu at yr addewid o'r gwynfyd sydd i ddod.

(Medi 1989)

Dyddiau Gwell i Ddyfod

Wel, on'd oedd hi'n noson hiraethus ar y teledu neithiwr? Cyfeirio rydw i at raglenni'r BBC yn y Gymraeg ar S4C ac yn y Saesneg ar BBC2 yng Nghymru yn darlunio pum mlynedd ar hugain o waith y Gorfforaeth yn ein gwlad. A phan ddilynwyd y rhaglen Gymraeg gan Whilmentan, gêm gwis Dafydd Iwan, wel a'n helpo, dyna ni 'nôl yn y gorffennol unwaith eto.

Rydw i'n hoff o'r gorffennol. Rydw i'n ceisio peidio â byw ynddo fo chwaith, er bod hynny'n anodd weithiau. Mi fûm i'n gweithio, dro yn ôl, i Wasanaeth Archifau Gwynedd a byth ers hynny rydw i'n dotio ar hen ffotograffau a darluniau sy'n dwyn yr hen oes yn ôl. Darluniau o goets Tocia ger y Post ym Motwnnog cyn troad y ganrif; fy ffefryn i, Clwb Seiclo Caernarfon yn mwynhau egwyl o bysgota a phicnic ger Llyn y Gader, tua'r un cyfnod; llun o weithwyr yn llithro pentwr o lechi o howld llong yn y Felinheli ar hyd estyll wedi'u hiro â saim gŵydd; a lluniau trenau stêm a motors — mae acw lond gwlad o'r rheini! Roeddwn i'n dotio neithiwr o glywed Saunders Lewis, Kate Roberts a Chynan yn llefaru eto, gweld paith Patagonia'r pumdegau yn ymestyn o flaen y camera, a hen berfformiad o *Under Milk Wood*, ac yn rhyfeddu unwaith eto at fyrder ambell sgert mini.

Ddoe, erstalwm, slawer dydd, dydi o'n llawn rhyfeddodau, diléit a diddanwch. Pob man â'i hanes, pob unigolyn â'i stori. Mae'r gorffennol, ys dywedodd rhywun, wedi bod. Mae o yno'n saff yn y cof, yn rhywle diogel y medrwn ni ffoi yn ôl ato a chysgodi'n ddiogel yn ei gôl o. Peth cwbwl wahanol ydi'r dyfodol — yfory. Does dim modd gwybod beth fydd ein hanes ni yfory. 'Dyddiau gwell i ddyfod, haleliwia?' Pwy a ŵyr?

Dewch gyda mi am ennyd i chwilio am yfory ar dudalennau'r Beibl. Mae gan y Beibl lawer i'w ddweud am yfory. Gallwn roi heibio'r math o fywyd rydyn ni'n ei fyw ar hyn o bryd a dechrau bywyd newydd gyda Iesu Grist yn sylfaen iddo os ydyn ni'n dymuno hynny. Os edifarhawn ni a chredu'r Efengyl, medrwn gerdded yn ffyddiog i'r dyfodol gan wybod, nid ein bod ni'n cael ein hamddiffyn rhag popeth drwg (addawodd Duw erioed mo hynny), ond y bydd O gyda ni ym mhob treial a phrofedigaeth. Dyna pam mae'r Cristion yn medru camu'n hyderus i'r dyfodol. Bydd Duw yn Iesu Grist gydag ef beth bynnag a ddaw.

Addewid Duw yw, 'Paid ag ofni, yr wyf fi gyda thi.' Ac yn ogystal â chamu'n hyderus i'r dyfodol, gall y Cristion fyw mewn gobaith hefyd. Yn wir, mae gobaith yn un o eiriau mawr y ffydd. Ffydd, *gobaith*, cariad. Gobaith am yr atgyfodiad, gobaith am gael gweld teyrnas Dduw wedi'i sefydlu ar y ddaear, gobaith am gael gweld yr Iesu'n dyfod eto i'n byd.

Efallai nad ydi edrych yn ôl yn syniad mor wych wedi'r cyfan. I'r Cristion, mae'r gorau eto i ddod mewn dyfodol sydd o dan oruchwyliaeth Duw.

Diolch, Arglwydd, am dy addewid y byddi di gyda ni beth bynnag a ddaw. Ein Tad, mae rhywrai heddiw y mae eu dyfodol nhw'n ymddangos yn ddu, a phryder, salwch a

phrofedigaeth ar eu gwarthaf. Cysura bawb y mae eu
hamgylchiadau'n anodd, ac argyhoedda'r sawl sy'n dioddef
dy fod ti yno gyda nhw, yn gymorth hawdd dy gael, trwy
weddi, mewn cyfyngder. Ac i'r gweddill ohonon ni sy'n
loncian yn ddigon di-hid trwy fywyd, dyro inni'r awydd
i fynnu rhannu'n taith i'r dyfodol â'th Fab, Iesu Grist, a
thydi a'th Ysbryd Glân.

Ac yn awr, bydded i ras ein Harglwydd Iesu Grist a
chariad Duw a chymdeithas yr Ysbryd Glân fod gyda ni oll
hyd byth. Amen.

(Chwefror 1989)

Disgwyl am Ateb

Blwyddyn Newydd Dda a Degawd Newydd Dda i chi i gyd.

Mae'n rhaid dweud ei bod yn braf bod yn ôl yn y gwaith ar ôl ychydig ddyddiau o wyliau. 'Y Gwyliau' fyddan nhw'n galw'r Nadolig mewn ambell ran o Gymru. Gobeithio i chi eu mwynhau nhw.

Y plant acw a aeth â 'mryd i yn ystod y dyddiau diwethaf. Direidi, hwyl ac ambell gyflafan. Agor yr anrhegion — profiad hyfryd. Ysgrifennu i ddiolch — pwdu wedyn, nogio, protestio, 'Ond pam?' 'Am fod rhaid.' 'Oes rhaid, wir?' 'Oes.' A Dad a Mam yn mynnu, gyda winc ar ei gilydd dros bennau'r plantos, fod y gwaith yn cael ei wneud. Y naill wrthi yn ysgrifennu a'r llall, sy'n iau o dipyn, yn copïo geiriau a baratowyd gan ei fam.

Ond y fo, Ifan, a ddaeth â pherl yr wythnos i ni, hefyd. Mae'n mynnu gofyn am fendith cyn pryd bwyd — y fo sydd i wneud bron bob tro. Gwaetha'r modd, pan ydych chi'n bump oed, dydi hi ddim bob amser yn bosib cofio holl eiriau englyn W.D. yn y drefn gywir.

O Dad, yn deulu dedwydd — y deuwn
(Mae'n iawn hyd at fan'na)
A diolch, diolch o'r newydd,
Cans o'th law dy law bob dydd
Ein lluniaeth a'n llawenydd. A . . . men!
Yr aflwydd ydi ei fod o'n gwybod fod y geiriau'n

anghywir ganddo, ac amser te dydd Sul mi edrychodd arna' i'n drist ar ôl adrodd y pennill a gofyn yn synfyfyriol, 'Pam nad ydi Duw yn fy helpu i hefo'r geiriau yn lle jest gwrando o hyd ac o hyd?'

Chwerthin a wnaethon ni, mae'n rhaid cyfaddef. Sut mae ateb cwestiwn mor boenus o onest â hwnna? Mi fyddwch chi, fel finnau, wedi arfer â dweud eich pader a siarad â Duw, yn enwedig os bydd hi'n argyfwng arnon ni. Fydden ni ddim yn gwneud hynny oni bai ein bod ni'n credu fod Duw yn gwrando. Mae Duw yn clywed, yn gwrando ac yn gweithredu, meddai Iesu Grist wrthyn ni. Gallwn fod yn sicr o hynny. Ond mae un agwedd ar y mater y mae'n rhaid i ni ei ystyried cyn dechrau — sef fod Duw yn ateb gweddi yn ôl ei ddoethineb ei hunan. Gall beri i'r hyn rydyn ni'n ei ddymuno ddigwydd; gall beri i rywbeth cwbl wahanol ddigwydd; neu mi fedr ddweud 'Na,' neu 'Amynedd piau hi.' A dyna pam y dylen ni sy'n gweddïo gofio defnyddio un ymadrodd arbennig ym mhob gweddi — 'Dy ewyllys *di* a wneler.' Beth bynnag ydi'r sefyllfaoedd y cawn ni'n hunain ynddyn nhw, gadewch i ni gofio'r geiriau hanfodol hynny, 'Dy ewyllys *di* a wneler.' Pan wneir ewyllys Duw, mae pethau mawr yn digwydd, dyna ydi tystiolaeth Cristnogion ar hyd y canrifoedd, a 'nhystiolaeth i wrth fwrw golwg yn ôl ar droeon yr yrfa. Ac o sôn am y rheini, caiff, fe gaiff Ifan ddysgu'r englyn yn gywir y dyddiau nesaf 'ma a gobeithio y caiff yntau brofi ryw ddydd nad 'jest gwrando' y mae Duw.

Ein Tad, fe ddiolchwn ni i ti am dy fod ti'n gwrando ar ein gweddïau ac yn eu hateb. Cymorth ni trwy dy Ysbryd Glân i weddïo'n gyson, gan osod ein holl feddyliau, ein problemau

a'n gofidiau ger dy fron. Dy ewyllys di a wneler. Bendithia
ni yn awr, er mwyn Iesu Grist, ein Gwaredwr. Amen.

(Dydd Calan 1990)

Llenwi'r Gwacter

'Fydda' i ddim yn cytuno â chi bob amser,' meddai cyfeilles annwyl i mi'r dydd o'r blaen. 'Mi fydda' i'n sefyll yn y gegin yn gwrando ac yn dweud, "O, naci Rhodri. Dydw i ddim yn cydfynd â chi".' Roeddwn i wrth fy modd. Dydw i ddim yn disgwyl i bawb gytuno â'r hyn sydd gen i i'w ddweud; mae Duw wedi'n creu ni i gyd yn wahanol, diolch byth.

Mi wnaeth hyn fy arwain i ystyried beth ydi'r neges 'ma sydd gen i a phob un sy'n credu yn yr Arglwydd Iesu Grist. Ydi hi'n berthnasol i'r bobol sy'n gwrando? Rydw i'n credu ei bod hi'n gwbwl berthnasol i ni, yma, yn awr, yn niwedd yr ugeinfed ganrif, ac y bydd hi'r un mor berthnasol yn y ddeugeinfed a'r drigeinfed ganrif.

Dewch gyda mi i fwynhau rhai o eiriau Iesu Grist. Un o'r pethau pwysig y mae'r geiriau hyn yn eu gwneud ydi dangos i ni fod Crist yn medru llenwi'n bywydau ni pan fydd y rheini'n wag. Ys dywed yr Iesu wrthyn ni, 'Myfi yw bara'r bywyd. Ni bydd eisiau bwyd ar y sawl sy'n dod ataf fi — ac ni bydd syched byth ar y sawl sy'n credu ynof fi.' Mi fyddwn ni'n newynu ac yn sychedu am nifer o bethau — ystyr i'n bywydau, fynychaf — ond mi all perthynas *fyw* â'r Crist *byw* ddiwallu'r anghenion hyn i gyd. Mae hynny'n brofiad i nifer aruthrol o bobol. Ac os ydyn ni'n gweld bywyd, fel y gwna cynifer y bore 'ma, fel peth dibwrpas, beth am ystyried y geiriau hyn?

'Myfi yw goleuni'r byd,' meddai'r Iesu. 'Ni bydd neb

sy'n fy nghanlyn i byth yn rhodio yn y tywyllwch, ond bydd ganddo oleuni'r bywyd.' Ys dywed un awdur y bûm i'n darllen ei waith yn ddiweddar, 'Pam ymbalfalu mewn tywyllwch? Derbyniwch Iesu — trowch y golau ymlaen yn ystafell eich bywyd. Rydych chi'n ddiogel wedyn ac yn gwybod yn union i ble rydych chi'n mynd.'

Peth arall sy'n gymorth i ni i fyw bywydau llawnach yn Iesu Grist yw'r ffaith nad oes angen poeni'n ormodol am farwolaeth. Rydyn ni, at ein gilydd, yn treulio cryn dipyn o amser yn gofidio ynghylch diweddglo'n bywydau ni. Ys dywedodd un arweinydd Cristnogol, *'Our people die well.'*

Bu farw dau gyfaill mawr i mi yn ddiweddar — yn dawel, ddi-ffws, heb arswydo. Roedden nhw'n gwybod i ble roedden nhw'n mynd — i gwmni'r un a ddywedodd, 'Myfi yw'r atgyfodiad a'r bywyd. Pwy bynnag sy'n credu ynof fi, er iddo farw, fe fydd byw; a phob un sy'n byw ac yn credu ynof fi, ni bydd marw byth.'

Os gall dyn ymddiried yn Nuw i ofalu am ei enaid, beth bynnag a ddaw, gall fyw bywyd yn rhydd o ofnau ac edrych ymlaen at dreulio tragwyddoldeb wrth ei fodd. Nid *'twanging a harp'*, chwedl Mrs Thatcher, ond yn byw bywyd deinamig, cyflawn a chreadigol yng nghwmni Duw.

Mae'n bywydau ni'n gythryblus tra ydyn ni yma, ac mae angen heddwch arnon ni'r tu mewn. Mae hwnnw i'w gael o feithrin perthynas â Christ, hefyd.

'Yr wyf yn gadael i chwi dangnefedd; yr wyf yn rhoi i chwi fy nhangnefedd i fy hun.'

'Deuwch ataf fi, bawb sy'n flinderog ac yn llwythog, ac fe roddaf fi orffwystra i chwi.'

Ys dywedodd rhywun, mae yna bobol a fuasai'n talu miliynau am heddwch o'r fath ond mae'r Iesu yn ei roi am ddim i'r sawl sy'n fodlon ei dderbyn.

Ydych chi'n unig y bore 'ma? 'Yr wyf fi gyda chi,' medd Crist, 'hyd ddiwedd y byd.'

Ydych chi'n cael hunan-ddisgyblaeth yn anodd? 'Digon i ti fy ngras i,' medd Iesu gan ein hannog i'w ddilyn ym mhob peth, i gredu ynddo a'i efelychu.

Ydych chi'n chwilio am wirionedd? 'Myfi yw'r ffordd, y gwirionedd a'r bywyd.' 'Nef a daear a ânt heibio, ond fy ngeiriau i nid ânt heibio ddim.'

Ac aethon nhw ddim chwaith. Maen nhw yma gyda ni o hyd, yn drysorau, yn arwyddion sy'n ein cyfeirio ni ac yn ein cynnal ni ar hyd ffordd bywyd. 'Iesu Grist ydi'r person mwyaf ffantastig fuodd byw erioed,' meddai cyfaill wrthyf i unwaith. Ydi, mae o'n hynny — a mwy na hynny. Mae ei eiriau'n fynegiant o ddymuniadau Duw ar ein cyfer — ar i ni gael mwynhau bywydau llawn, cyflawn, llawen, y bywyd helaethach y soniodd Crist amdano, a chael ein cymodi ag Ef trwy farw aberthol Crist ar y groes.

Credwn ynddo, a derbyn ei faddeuant y bore 'ma.

(Ionawr 1990)

Dau Gyfaill

Atgofion am ddau gyfaill sydd wedi'n gadael ni sy'n
llenwi'r meddwl heddiw. Roedd y naill yn adnabyddus
a'r llall — wel, roedd hwnnw'n enwog, ac mi wyddoch
chi i gyd pwy oedd o. Rydw i'n siŵr y caniatewch i mi
hel pwt o atgof am y ddau y bore 'ma. Doeddwn i'n
adnabod yr un o'r ddau yn dda iawn ond, rargian, mae
dyn yn gweld eu colli.

Y Parchedig Bryn Roberts ydi'r cyntaf, a fu farw
ddydd Gwener. Dyma ddyn â'i gariad at bobol eraill a'i
gonsyrn amdanyn nhw yn fawr. Fe fu'n allweddol, heb
yn wybod iddo fo'i hun, efallai, yn y broses o'm tywys
i at y meic yma i'ch arwain chi mewn myfyrdod. Gan
gymaint oedd ei sêl o ac ambell gyfaill arall dros
Weinidogaeth Iacháu y Methodistiaid Calfinaidd, mi
euthum i, rywdro, i gyfarfod yng Nghapel Pontrhythallt,
Llanrug, ac yn y fan honno, ac yntau'n cymryd rhan
flaenllaw yn y gweithgareddau, y dois i i sylweddoli
gyntaf fod mwy i Gristnogaeth nag yr oeddwn i wedi'i
freuddwydio erioed o'r blaen. A bob tro y byddwn i'n
ei weld o, gafaelai yn sownd yn fy mraich a holi hynt a
helynt aelodau'r teulu i gyd. Gŵr annwyl a dewr ydoedd
a safodd yn gadarn dros Efengyl Iesu Grist ar hyd ei
fywyd; a thros ei iaith a'i genedl, yn wyneb cryn
feirniadaeth, weithiau, yn enwedig pan dreuliodd
gyfnod yn un o blastai ei Mawrhydi o ganlyniad i un o
ymgyrchoedd Cymdeithas yr Iaith. Wynebu pob storm

ag urddas a wnaeth Bryn, a mawr yw ein colled ni.

A mawr fydd y golled ar ôl Charles Williams, wrth gwrs. Mi fydd pobol a oedd yn ei adnabod yn llawer gwell nag oeddwn i yn talu teyrnged iddo heddiw ac yn ystod yr wythnosau sydd i ddod. Ond mi garwn i adrodd un hanesyn amdano. Roeddwn i ar bwyllgor Noson Lawen yn nhref Dinbych tua phymtheng mlynedd yn ôl ac roedd pethau'n mynd o chwith. Charles i arwain, popeth yn iawn, ond yn ystod y dydd, dyma negeseuon yn dod o bob rhan — yr artistiaid yn methu dod, y prif ganwr yn sâl, grwpiau'n methu 'i gwneud hi o'r De mewn pryd. Dim ond deuawd a Charles oedd yn Neuadd y Dre am hanner awr wedi saith — a llond y lle o gynulleidfa. Mi drodd Charles Williams noson a oedd yn ymddangos — i ni'r pwyllgor, yn sicr — yn hollol drychinebus, yn noson i'w chofio. Mi adroddodd jôcs mor ddigri nes roedd pawb yn glana chwerthin; gwelodd amryw o dalentau'r dyffryn yn y gynulleidfa a'u cymell i'r llwyfan i berfformio; ac mi gefais innau fynd ar frys, ar ei anogaeth o, i nôl adroddwr o fri a oedd yn digwydd bod yn aros mewn gwesty cyfagos a chafwyd perfformiad o fri gan Aled Gwyn yn adrodd hanes 'Nwncwl Jâms', D. J. Williams. Ond dawn aruthrol Charles Williams a greodd y noson honno.

Daeth ata' i beth amser yn ôl i'm hannog i ddal ati yn y gwaith o gyhoeddi'r Efengyl ac mi drysora' i'r atgof am y sgwrs honno. Mor aml pan fyddwn ni'n colli cyfeillion fel Charles a Bryn y byddwn ni'n difaru na fuasen ni wedi eu hadnabod yn well, yntê? Mor aml y byddwn ni'n ymddiddori yn ein pethau a'n byd bach ein hunain ac yn ein tlodi ein hunain trwy beidio â thalu digon o sylw i'r cyfoeth sydd o'n cwmpas ni yn y bobol a greodd Duw.

'Chwi yw halen y ddaear; ond os cyll yr halen ei flas, â pha beth yr helltir ef? Nid yw'n dda i ddim bellach ond i'w luchio allan a'i sathru dan draed gan ddynion. Chwi yw goleuni'r byd. Ni ellir cuddio dinas a osodir ar fryn. Ac nid yw pobl yn cynnau cannwyll ac yn ei dodi dan lestr, ond yn hytrach ar ganhwyllbren, a bydd yn rhoi golau i bawb sydd yn y tŷ. Felly boed i'ch goleuni chwithau lewyrchu gerbron dynion, nes iddynt weld eich gweithredoedd da chwi a gogoneddu eich Tad, yr hwn sydd yn y nefoedd.'

Ein Tad, fe ddiolchwn i ti'r bore 'ma am i ti greu pob dyn yn wahanol ac am i ti gyflwyno i bob un ohonon ni ddoniau i'w meithrin a'u datblygu yn dy wasanaeth. Cymorth ni, ein Tad, i feithrin agwedd iach at fywyd, at gyfeillion, ac at ffydd; i fwynhau holl amrywiaeth bywyd a'i drysorau ac i'th fawrygu di'n gyson am ei greu. Amen.

(Chwefror 1990)

Dal Ati!

Bore da. Dêr, mi roeddwn i'n ddig wedi gweld eitem ar y newyddion neithiwr ond er mwyn peidio â gorymateb ac er mwyn sefydlu cywair priodol i'n myfyrdod, rydw i am ddarllen yn gyntaf eiriau Iesu Grist o Bennod 25 o Efengyl Mathew.

'Pan ddaw Mab y Dyn yn ei ogoniant, a'r holl angylion gydag ef, yna bydd yn eistedd ar orsedd ei ogoniant. Fe gesglir yr holl genhedloedd ger ei fron, a bydd ef yn eu didoli oddi wrth ei gilydd, fel y mae bugail yn didoli'r defaid oddi wrth y geifr, ac fe esyd y defaid ar ei law dde a'r geifr ar y chwith. Yna fe ddywed y Brenin wrth y rhai ar y dde iddo, "Dewch, chwi sydd dan fendith fy Nhad, i etifeddu'r deyrnas a baratowyd i chwi er seiliad y byd. Oherwydd bûm yn newynog a rhoesoch fwyd imi, bûm yn sychedig a rhoesoch ddiod imi, bûm yn ddieithr a chymerasoch fi i'ch cartrefi; bûm yn noeth a rhoesoch ddillad amdanaf, bûm yn glaf ac ymwelsoch â mi, bûm yng ngharchar a daethoch ataf." Yna bydd y rhai cyfiawn yn ei ateb: "Arglwydd," gofynnant, "pryd y'th welsom di'n newynog a'th borthi, neu'n sychedig a rhoi diod iti? A phryd y'th welsom di'n ddieithr a'th gymryd i'n cartref, neu'n noeth a rhoi dillad amdanat? Pryd y'th welsom di'n glaf neu yng ngharchar ac ymweld â thi?" A bydd y Brenin yn eu hateb, "Yn wir, 'rwy'n dweud wrthych, yn gymaint ag i chwi ei wneud i un o'r lleiaf o'r rhain, fy mrodyr, i mi y gwnaethoch''.'

Geiriau Iesu Grist. Ysgwn i a gawsoch chi, fel finnau, eich cynddeiriogi neithiwr gan adroddiad ar *News at Ten*? Peter Sharpe oedd y newyddiadurwr ac roedd yn teithio gyda chonfoi o lorïau a oedd yn cario bwyd i'r rhai sy'n dioddef o newyn yn Eritrea. Oherwydd rhyfel cartref yn Ethiopia, mae'n rhaid i'r tryciau sy'n cario bwyd i'r ardaloedd lle mae'r miloedd yn newynu deithio fin nos, a chael eu cuddio yn y dydd. Yn yr adroddiad a welson ni, fe gafwyd hyd iddyn nhw liw dydd gan awyrennau *reconnaisance* y llywodraeth, yna'u bomio gan ddau *mig*. Lladdwyd un dyn, anafwyd un arall a dinistriwyd pedair o'r deuddeg lori ynghyd â'r llwyth gwerthfawr o fwyd roedden nhw'n ei gario. Rydyn ni'n gweld llawer sy'n ddrwg ar y newyddion ond roedd y digwyddiad hwn, i mi, yn enghraifft o ddiawledigrwydd dyn ar ei waethaf.

Ac mae'n hawdd cael ein digalonni, 'dydi? Beth ydi pwrpas rhoi os ydi pethau fel hyn yn digwydd ac os ydi drygioni i'w weld yn cael y llaw uchaf ar ddaioni? Mae'n ddigon i yrru dyn i anobaith ond onid dyna'r union beth a fyddai'n ychwanegu at y drwg? Achos os anobeithiwn ni, os rhown ni'r gorau i roi a gwneud ymdrech, yna mi fydd *Mig fighters* Ethiopia wedi'n trechu ninnau hefyd. Peth anobeithiol ydi codi'n dwylo a gweiddi 'Gresyn,' meddai rhywun. Malio sy'n cyfri. *'Pity is hopeless. Compassion hopes.'*

Un o nodweddion Cristnogaeth ydi fod y sawl sy'n credu yn Iesu Grist yn dal ati bob amser — yn dilladu'r noeth, yn cynnig dŵr i'r sychedig a bwyd i'r newynog, yn rhoi cartref i'r amddifad gan wybod ei fod yn gwneud hynny er mwyn Iesu Grist, er clod i Dduw. Fydd y llwybr fyth yn un hawdd i'w droedio. Nid llwybr i'r gwangalon mohono, ac mae gofyn dal ati, dyfalbarhau yn y gwaith o drechu drygioni â daioni. Cofiwch gyfarwyddiadau Paul, 'Paid â goddef dy drechu gan ddrygioni. Trecha di ddrygioni â daioni.'

Oes yna rywbeth y medrwn ni ei wneud? Wel, oes. Roeddwn i'n darllen yn y *Western Mail* yn ddiweddar am eglwysi yn y De yn cario bwyd, Beiblau ac offer meddygol i Rwmania. Mae eglwys y Parchedig Stuart Bell yn Aberystwyth ar fin cychwyn i wlad Pwyl ar yr un perwyl. Ddoe ddiwethaf, mi ddaeth llythyr acw yn gofyn i ni yrru parsel o fwyd i deulu tlawd yn un o wledydd Dwyrain Ewrop ac yn cynnig enw a chyfeiriad yn y wlad honno lle dylid anfon y parsel.

Mae'r cyfle'n amlwg — y ffordd yn rhydd. Peidiwn â chymryd ein digalonni gan awyrennau Ethiopia. Mi wêl y byd eto drechu'r drwg gan y da.

Ein Tad, maddau i bob un ohonom y drygioni sy'n ei galon. A phâr i ni bryderu am y digwyddiadau hyn lle mae dyn yn peri loes a cholled i'w gyd-ddyn. Cymorth ni i fyw'n agos at yr Iesu gan ddilyn ei gyfarwyddiadau a chwennych yr iachawdwriaeth y mae E'n ei gynnig i ni. Amen.

(Chwefror 1990)

Y Stafell Ddirgel

Rydw i am sôn am weddi heddiw gan ei bod yn Ddydd Gweddi Byd-eang y Chwiorydd ddydd Gwener. Ychydig o frwdfrydedd sydd 'na dros weddïo cyhoeddus y dyddiau hyn, ysywaeth. Yn y rhan hon o'r wlad mae cyfarfodydd gweddi dechrau'r flwyddyn yn edwino'n gyflym ac yn troi'n gyfarfodydd pregethu. Ac eto, mae 'na lawer sy'n gweddïo'n breifat ac sy'n ddigon parod i addef eu bod nhw'n gwneud hynny. Gwneud amser i weddi sy'n anodd yn ein dyddiau cythryblus ni, efallai. Mae hanner awr yng nghwmni Duw a neb arall yn iechyd pur i'r enaid a'r corff.

Sut mae gweddïo? Mae Iesu'n ein cyfarwyddo ni yn y chweched bennod o Efengyl Mathew ac yn pwysleisio gwerth closio at Dduw ar ein pennau ein hunain a ffurfio perthynas ag o. Mae'n ein rhybuddio yn erbyn arddangos ein hunain neu frolio'n hunain i eraill pan fyddwn ni'n gweddïo — gweddïau gonest, didwyll sydd eu heisiau, gweddïau lle rydyn ni'n ein cyflwyno'n hunain i Ysbryd Glân Duw ac yn gofyn iddo ein harwain yn ein gweddi. Ac ys dywedodd fy ngweinidog mewn pregeth rywdro, y geiriau pwysicaf mewn gweddi ydi, 'Dy ewyllys Di a wneler,' Hynny yw, nid rhestr siopa yw gweddi i fod, ond gofyn i bopeth sy'n digwydd fod yn unol ag ewyllys Duw. Nid 'Dwi isio hyn,' ond 'Boed i bopeth ddigwydd yn unol â'th ewyllys di, ac os yw'n unol â'r ewyllys hwnnw, a gaf i hyn os gwelwch yn dda?'

Mi glywais i stori rywdro sy'n ddisgrifiad da o'r ystafell lle dywed Crist y dylai ei ddilynwyr fynd iddi — 'ac wedi cau dy ddrws, gweddïa ar dy dad sydd yn y dirgel.'

Roedd 'na bwyllgor yn archwilio ffatri fawr er mwyn darganfod pa ran ohoni oedd fwyaf effeithiol. Mewn llawer o adrannau roedd peiriannau mawrion yn troi'n swnllyd ac yn peri i bawb ryfeddu at eu maint a'u prysurdeb ond mewn un ystafell 'doedd dim i'w weld yn digwydd a dywedodd un o'r pwyllgorwyr, 'Dydi fan yma ddim yn bwysig, does dim byd yn digwydd yma.' Gwenodd goruchwyliwr y ffatri. 'Rydych chi'n camddeall, syr. Hon ydi'r ystafell bwysicaf oll. O'r fan hyn y daw'r grym trydanol sy'n gyrru pob peiriant yn y ffatri.'

Ac felly ym mywyd y Cristion, ei ystafell ddistaw yw'r ystafell lle mae'r grym i'w yrru yn ei flaen.

Rydw i am ddarllen o Efengyl Mathew, Pennod 6.

'A phan fyddwch chi'n gweddïo, peidiwch â bod fel y rhagrithwyr; oherwydd y maent hwy'n hoffi gweddïo ar eu sefyll yn y synagogau ac ar gonglau'r heolydd, er mwyn cael eu gweld gan ddynion. Yn wir, 'rwy'n dweud wrthych, y mae eu gwobr ganddynt eisoes. Ond pan fyddi di'n gweddïo, dos i mewn i'th ystafell, ac wedi cau dy ddrws gweddïa ar dy Dad sydd yn y dirgel, a bydd dy Dad sydd yn gweld yn y dirgel yn dy wobrwyo. Ac wrth weddïo, peidiwch â phentyrru geiriau fel y mae'r paganiaid yn gwneud; y maent hwy'n tybied y cânt eu gwrando am eu haml eiriau. Peidiwch felly â bod yn debyg iddynt hwy, oherwydd y mae eich Tad yn gwybod cyn i chi ofyn iddo beth yw eich anghenion.'

Ein Tad, rho i ni o'r nerth a ddaw oddi wrthyt ti i wynebu anawsterau bywyd a'i stormydd. Maddau i ni mor gyndyn ydyn ni i gredu ac i ymddiried ynot ti mewn gweddi. Cymorth ni i drefnu cyfnodau yn ein bywydau pryd y medrwn ni glosio atat a threulio amser yn dy gwmni.

A bydded i ras ein Harglwydd Iesu Grist, a chariad Duw, a chymdeithas yr Ysbryd Glân fod gyda ni hyd byth. Amen.

(Chwefror 1990)

Y Pethau Bychain

Ysgwn i a welsoch chi'r rhaglen *This is Your Life* neithiwr? Un o'r goreuon oedd hon, rhaglen yn llawn hiwmor a llawenydd. Bywyd David Shepard oedd y testun. Na, nid yr Esgob-gricedwr o Lerpwl ond y David Shepard sy'n gyfaill i eliffantod a rheilffyrdd stêm; David Shepard yr artist. Rhaid i mi gyfaddef mai trwy bori'n helaeth mewn cylchgronau rheilffordd y gwn i amdano ond, wedi darllen ei lyfr *'A Brush with Steam'* (dyna i chi deitl addas i lyfr gan artist sy'n berchen dwy injan anferth ei hunan), deallais fod y dyn hwn wedi gwneud cyfraniad aruthrol ym myd diogelu anifeiliaid gwylltion, yn enwedig eliffantod. Mae ei gynfasau sy'n darlunio bywyd yr eliffant yn gwerthu am filoedd o bunnoedd, a llwyddodd David i godi dros ddwy filiwn o bunnoedd tuag at ddiogelwch a chadwraeth ym myd yr anifeiliaid gwyllt. Neithiwr, roedd yr Arlywydd Kenneth Kaunda, y Tywysog Bernhardt o'r Iseldiroedd a'r Tywysog Michael o Gaint, ymhlith eraill, yn talu teyrnged i'r artist a gyflawnodd gymaint yn ystod ei fywyd.

Mi fuasech chi, fel finnau, mae'n siŵr, yn hoffi gwneud rhywbeth tebyg, a chael pwysigion byd yn cymeradwyo'n hegni a'n talentau ond dydyn ni i gyd ddim wedi'n donio yn yr un modd â David Shepard. Diolch byth, efallai, achos petaen ni i gyd yn medru peintio darluniau gwych o eliffantod a threnau stêm, fyddai yna fawr o werth ariannol i'w gyfraniad yntau. Ond mae un peth yn sicr, mae gan bawb ohonon ni *ryw* ddoniau, waeth pa mor wantan ac eiddil y maen nhw'n ymddangos i ni'n hunain. Ac os na fedrwn ni gyflawni pethau mawr, efallai y dylen ni gofio ar ddydd gŵyl ein nawddsant ei fod yntau, er iddo gyflawni cymaint yn ystod ei oes, wedi'n siarsio i sicrhau ein bod yn gwneud y 'pethau bychain'.

Ysgwn i beth oedd y pethau bychain hynny. Mi fydda' i yn hoffi meddwl mai sôn roedd o am yr holl fân weithredoedd hynny sy'n gwneud bywyd yn well i eraill — am roi i'r tlodion a'r anafusion; am ofalu am y gweddwon a'r amddifad; gweithredu'n ymarferol ar ran y sawl a ddioddefodd lifogydd; protestio i lysgenhadaeth Ethiopia am fod miloedd yn marw o newyn.

Os edrychwn ni drwy'r Beibl, mae 'na gannoedd o gynghorion manwl ynglŷn â'r hyn y dylen ni fod yn ei wneud — yr holl bethau hynny na fydd byth sôn amdanyn nhw ar y radio na'r teledu. A'r gweithredoedd yn deillio o'r ddau orchymyn mawr hynny — 'Câr yr Arglwydd dy Dduw â'th holl galon ac â'th holl enaid ac â'th holl nerth ac â'th holl feddwl, a châr dy gymydog fel ti dy hun.'

Mae gen i syniad y byddai ein Nawddsant, Dewi, wrth ei fodd heddiw petaen ni'n ufuddhau i'r gorchmynion hyn yn gyntaf ac yn ein cael ein hunain, o raid, *wedyn*, yn 'gwneud y pethau bychain a welsoch ac a glywsoch gennyf fi'.

Diolch i ti, ein Tad, am ddoniau'r sawl a greaist, a chymorth ni i'w defnyddio er dy ogoniant. Paid â gadael i ni ddigalonni os nad yw'n cyfraniad yn fawr yng ngolwg y byd hwn, eithr rho di'r gallu i ni i fyw bywydau a chyflawni tasgau sydd er yn fychain a di-nod, yn gymeradwy gennyt ti, ein Duw. Cymorth ni i gredu heddiw, i ufuddhau'n edifeiriol ac i dderbyn dy faddeuant am bob camwedd. Amen.

(Dydd Gŵyl Dewi 1990)

Codi neu Chwalu

Bore da iawn i chi. Ysgwn i faint o ffoaduriaid welson ni ar y newyddion teledu neithiwr? Gwylio rhaglen naw y BBC wnes i ac mae'n siŵr i mi weld dau ddwsin neu dri — neu fwy petawn i'n medru cofio'r darluniau i gyd. Pobol yn ffoi rhag rhyfel, rhag Saddam Hussein, rhag lluoedd Iraq. Roedd rhai'n medru gyrru trwy'r anialwch ym moethusrwydd eu ceir a'r werin mewn bysys, ond doedd neb yn ei mentro hi ar droed — wnaethoch chi sylwi? — oherwydd y gwres. Mi fu'n rhaid disgwyl am yr eitem ar Dde Affrica cyn gweld y rheini ac y mae tristwch y sefyllfa yn y fan honno yr un mor ingol ag yn Kuwait.

Ffoaduriaid. Mae 'na lawer darlun yn codi i'r meddwl wrth ystyried y gair. Yr Iesu, ei dad a'i fam ar y ffordd i'r Aifft — do, mi fu yntau'n ffoadur. Yn ein dyddiau ni, fe welson ni i gyd resi hir o ffoaduriaid yn ei heglu hi ar draws gwlad — rhag rhyfel, rhag newyn, rhag llywodraeth Gomiwnyddol; mewn cychod o Vietnam, mewn ceir o Kuwait, Iraq, Iorddonen; rhyw chwarae Tom a Jerry â'r milwyr yn yr anialwch mae'r rhain er mwyn cael dianc dros y twyni tywod yn y gwres.

Does gynnon ni sy'n byw ein bywydau bach cyfforddus, sidêt, yn un o wledydd hyfrytaf y byd ddim affliw o syniad beth ydi bod yn 'ffoadur' — ddim wir. Wyddon ni fawr ddim beth ydi cael dinistrio'n bywydau personol gan amgylchiadau o'r tu allan nes gorfod ffoi am ein bywydau. Ond mae dinistr yn aml yn elfen yn ein bywydau ninnau hefyd, a dinistrio yn rhan o'n ffordd ni o fyw. Nid i Saddam Hussein yn unig y perthyn dinistr; mi all berthyn i ninnau hefyd — dinistrio perthynas dda rhwng pobol a'i gilydd, dinistrio priodas, dinistrio cymdeithas trwy dorri ei rheolau hi, dinistrio Cymreictod trwy droi cefn a pheidio â throsglwyddo'n hiaith a'n Cristnogaeth i'r genhedlaeth iau.

Ac mae dweud hynna'n codi cwestiwn, 'dydi? Beth ydyn ni, dryllwyr ynteu adeiladwyr? Ai malu'r pethau gorau mewn cymdeithas ydyn ni gan achosi poen ac alanas, ynteu a ydyn ni'n gyfranwyr — yn bobol sy'n rhoi, sy'n greadigol, sy'n fodlon bwrw iddi i geisio gwella cymdeithas, i dynnu sylw eraill at rinweddau pobol, i gymodi rhwng gwŷr a gwragedd, i hyrwyddo popeth sydd wâr ac adeiladol o fewn cymdeithas, i weld yr hyn sydd orau yn ein bywyd cenedlaethol a dyrchafu'r nodweddion hynny? Os na fuon ni'n gyfarwydd â gwneud hynny, mae modd i ni newid ein hagwedd gyda chymorth oddi uchod. Sylwch mai'r Undeb Sofietaidd ydi'r cymodwr newydd yn y Dwyrain Canol.

Yn y bumed bennod o'r Efengyl yn ôl Mathew, mae Crist yn siarad â'i ddisgyblion ac yn eu hannog fel hyn, 'Chwi yw halen y ddaear,' a 'Chwi yw goleuni'r byd.' Mewn byd lle mae 'na fymryn *bach* o Saddam Hussein ym mhob un ohonon ni, mae angen i ni ystyried y geiriau hynny, ystyried eu harwyddocâd a cheisio, trwy ras Duw, i'w gwireddu nhw yn ein bywydau ni ein hunain.

Arglwydd, pâr i ni fod yn adeiladol ein hagwedd tuag at ein bywydau yn y byd hwn. Beth bynnag a ddigwydd i ni heddiw, cadw ni rhag pechu a pheri dinistr. Rho yn ein genau eiriau cymod a chariad ac, yn ein calonnau, yr awydd i wella a pherffeithio pob sefyllfa y cawn ein hunain yn rhan ohoni. Er mwyn Iesu Grist dy Fab. Amen.

(Awst 1990)

Bod yn Fodlon

Bore da iawn i chi. Trist oedd gwedd Ifan bnawn ddoe. 'Beth sy'n bod?' gofynnodd ei fam. 'Ysgol fory?' Roedd yr olwg ar ei wyneb yn ddigon i beri i'r sybera' ohonon ni chwerthin. Roedd o'n bictiwr o ddigalondid, y gwyliau gogoneddus wedi dod i ben o'r diwedd ac wythnosau o wneud syms a darllen o'i flaen. Cofiwch chi, erbyn y bore 'ma roedd o'n wên o glust i glust ac yn brysur yn gwisgo amdano yn barod ar gyfer y drin. Synnwn i damaid nad oedd 'na fymryn o falchder yn ei wedd hefyd; wedi'r cwbwl, nid pob dydd y mae hogyn chwech oed yn cael ei ddyrchafu i arucheledd 'dosbarth Mrs Ellis'.

Fyddwch chi'n ddigalon weithiau? Roeddwn i'n darllen y dydd o'r blaen am Gristion a oedd mor dlawd, dim ond un pâr o esgidiau oedd ganddo a'r rheini wedi treulio nes bod bodiau ei draed yn ymwthio drwy'r pen blaen. Roedd o'n isel iawn ei ysbryd a cherddai trwy strydoedd ei dref yn grwgnach wrtho'i hun, 'Waeth i mi fod yn droednoeth ddim.' Ond yna mi welodd hen ŵr yn eistedd ar gornel stryd yn cardota. Doedd gan hwnnw ddim traed na choesau a sylweddolodd y Cristion ar unwaith fod yna bethau gwaeth nag esgidiau ofnadwy — dim traed i'w gwisgo nhw. Gwers y stori, wrth gwrs, ydi hyn: os ydyn ni'n cwyno neu'n grwgnach heddiw, codwn ein calon ac ystyried cynifer o bobol y mae eu hamgylchiadau yn waeth na'n rhai ni.

Mi fydda' i'n cwyno o bryd i'w gilydd fod ein tŷ ni'n fach. Does yna brin le ynddo fo i'r pump ohonon ni, hyd yn oed wedi gwario swm sylweddol ar ei ymestyn. Ond o syllu ar gofnod Cyfrifiad 1881, rydw i'n cywilyddio. Yn y bwthyn gwreiddiol — dwy ystafell a chroglofft — roedd 'na dad a mam a phump o blant yn byw. Ac o symud i'n hoes fodern ni, faint ohonon ni a garai fod yng nghanol y diffeithwch yng ngwlad yr Iorddonen heddiw, yn cwffio am ychydig o fwyd, diod a phabell? Hoffen ni fod yn Iraq, neu Kuwait? Neu hyd yn oed gyda lluoedd di-facwn a di-wy yr Unol Daleithiau yn anialdir Saudi Arabia yn y gwres llethol? Na, wrth gwrs. Mae'n well arnon ni yma nag yn y fan honno.

Rydw i'n hoff iawn o'r stori hon sy'n enghraifft o berson yn mynegi gwerthfawrogiad er mai ychydig oedd ganddi.

Gofynnodd rhywun i hen wraig mewn eglwys yn America, 'Pam ydych chi mor hapus bob amser? Does gynnoch chi ddim ond dau ddant yn eich ceg.'

'Dyna chi,' meddai'r hen wraig. 'Rydych chi'n gywir. Dim ond dau ddant sydd gen i ond, diolch i Dduw, maen nhw gyferbyn â'i gilydd a rydw i'n dal i fedru cnoi 'mwyd!'

Yn y Llythyr at yr Hebreaid mae 'na adnod a ddywed fel hyn, 'Byddwch yn fodlon ar yr hyn sydd gennych, oherwydd y mae ef wedi dweud, "Ni'th adawaf fyth, ac ni chefnaf arnat ddim".'

Efallai fod gan ein cymdogion well tŷ na ni, a char crandiach, a'u bod yn cael gwyliau pellach. Ac efallai bod yr ysgol yn dechrau heddiw. Ond beth yw'r ots? Os ydi Crist gyda ni a ninnau heb ddim materol, rydyn ni'n gyfoethog y tu hwnt i fesur.

Ein Tad, cadw ni rhag grwgnach. Cymorth ni i feithrin perthynas agos â thydi trwy dy fab, Iesu Grist; a thrwy'r llawenydd a ddaw i ni yn sgîl hynny, pâr i ni godi calonnau pawb sydd o'n cwmpas a sirioli eu bywydau. Er mwyn Iesu y gofynnwn hyn. Amen.

(Medi 1990)

Llythyrau Duw

Bore da.

'Celfyddyd sy'n mynd i golli yw sgrifennu llythyr,' dyna sylw a wnaed gan fy ngwraig yr wythnos ddiwethaf a minnau'n paratoi i lyfu pentwr o stampiau.

'Digon gwir,' meddwn innau, ond mae 'na ambell un a ŵyr o hyd sut mae sgrifennu llythyr graenus. Daeth un arbennig oddi wrth gyfaill sy'n byw nid nepell oddi wrthyn ni a oedd wedi'i gyfansoddi'n grefftus, ei sgrifennu'n gelfydd a phob brawddeg yn drysor o hiwmor neu gydymdeimlad mewn Saesneg cymhleth, coeth. Dyma lythyr a drysoraf i tra byddaf; llythyr i'w gofio, ei gadw a'i ailddarllen.

Gadewch i ni oedi am funud y bore 'ma i ystyried llythyrau Duw. Yn y Beibl mae 'na amryw o lyfrau, efengylau a llythyrau ond, mewn gwirionedd, llythyrau ydyn nhw i gyd, wedi'u cyfeirio atoch chi a minnau. A'r argian, mae 'na gyfoeth yn y llythyrau hyn — pob un ohonyn nhw yn drysorfa o ddarluniau. Maen nhw'n darlunio cymeriad Duw yng Nghrist i ni, yn egluro i ni sut y mae o'n dymuno i ni fyw ac ymateb i'w alwad. Ac ydi, wir i chi, mae *yn* dymuno, yn dyheu wir, am ymateb gan bob un ohonon ni i'r llythyrau hyn y parodd eu hysgrifennu gan wŷr ffyddlon a da gynifer o flynyddoedd yn ôl.

Er bod 'na dri chwarter miliwn o eiriau yn ei Air i ni, un syml ydi'r neges, ac y mae un adnod yn Efengyl Ioan yn crynhoi'r cyfan. Ioan 3, 16 ydi honno: 'Do, carodd Duw y byd gymaint nes iddo roi ei unig Fab, er mwyn i bob un sy'n credu ynddo ef beidio â mynd i ddistryw ond cael bywyd tragwyddol.'

Ei byrdwn hi yw fod Duw yn ei fawr ddoethineb a'i gariad tuag aton ni, y ddynoliaeth, wedi trefnu ffordd i'n cymodi ni ag O, er gwaetha'r ffaith ein bod ni'n greaduriaid gwael, llawn beiau o'n cymharu â'i sancteiddrwydd O. A galw arnon ni y mae o i edifarhau ac i gredu'r Efengyl — y Newyddion Da — a derbyn Crist yn benarglwydd ar ein bywyd.

Nawr, mi allwch wfftio hynna a'i fwrw o'r neilltu fel syniad ond a ga' i ymbil arnoch chi y bore 'ma i'w ystyried o ddifri, pe bai dim ond er mwyn y miliynau o Gristnogion ar hyd a lled y byd sy'n credu'n gryf yn y neges a'r llythyrau a anfonwyd o Dduw. Mi wnaeth wahaniaeth mawr i'w bywyd nhw, ac os ca' i siarad o brofiad, roedd o'n newid pan ddaeth o a fu'n dwyn llawenydd diddiwedd sy'n gynhaliaeth rymus i ddyn hyd yn oed pan fo cwrs ei fywyd wedi'i sarnu gan amgylchiadau.

Un peth diddorol sy'n digwydd pan fydd dyn yn derbyn Crist yn ben ar ei fywyd ydi ei fod ef ei hun yn troi'n llythyr. Fydd o fyth cystal llythyr nac mor ddylanwadol â'r hyn sy'n ysgrifenedig yn yr Ysgrythur, wrth gwrs, ond mi fydd o'n llythyr gan Dduw wedi'i gyfeirio, nid ato'i hun, ond at bawb arall — ei deulu, ei gymdogion, ei gyfeillion, ei gyd-genedl, pawb.

Gofynnais i gyfaill beth amser yn ôl, 'Beth ydi dy gredo di?' A'i ateb oedd, 'O rydw i'n eitha Cristion am wn i.' Ysgwn i sut lythyrau ar ran Duw i'r byd ydyn ni heddiw sy'n ystyried ein hunain yn 'eitha Cristnogion'? Ac a oes digon o ystyried a meddwl a gweddi ac addoli'n digwydd yn ein bywydau ni i'n gwneud ni'n llythyron gwerth eu darllen?

Arglwydd, ennyn chwilfrydedd ynon ni'r bore 'ma ynglŷn â'r hyn sydd gan Efengyl Ioan, Pennod 3, Adnod 16 i'w ddweud wrthym. Cymorth ni i gredu dy air, ein Tad, a'i dderbyn a gwna ni yn llythyrau sy'n werth ein darllen gan y byd.

(Rhagfyr 1990)

Eira

Ysgwn i sut fwrw Sul gawsoch chi? Rhyw fymryn bach
o eira hwnt ac yma? Mi fydda' i'n rhyfeddu bob amser
cymaint o fraw mae cwymp o'r hen blu yn ei beri i ni.
Daw arswyd i lais y cyflwynydd ar y teledu a chawn weld
lluniau o'r lluwchfeydd ar eu dyfnaf. Does neb fel
petaen nhw'n medru dweud wrthyn eu hunain, 'O,
mae'n bwrw eira, bydd yn rhaid i mi yrru neu gerdded
yn fwy gofalus a chwtogi ar fy nheithiau rhyw fymryn,'
a derbyn y peth fel ffenomenon cyffredin. Achos dyna
ydi o, yntê? Gwedd ar y tywydd y mae'r rhan fwyaf
ohonon ni wedi hen arfer â hi ers blynyddoedd maith.
    Cofiwch chi, rydw i'n cyfaddef fy mod i'n siarad â
'nhafod yn fy moch i ryw raddau achos rydw innau'n
brofiadol iawn o gael fy nal gan yr eira. Gyrru dros fwlch
Llanberis un noson mewn hen, hen gerbyd a'r plu'n
disgyn yn gymylau. Cadw i fynd tua deng milltir yr awr.
Petawn i'n stopio, buaswn yn sownd. Ond petae
rhywun wedi gadael ei gar yn y ffordd, buaswn yn ei
daro achos fedrwn i weld dim drwy'r ffenestr flaen, dim
ond waliau'r ffordd trwy ffenestri ochr y car. Cefais fy
nal hefyd, flynyddoedd yn ôl, yn y pentref 'cw, y
Waunfawr, gan luwchfeydd mawr o eira ar draws y
briffordd. Ond mi ddigwyddodd rhywbeth od iawn bryd
hynny. Gan na fedrai neb adael y pentref, cefais weld
am y tro cyntaf pwy oedd fy nghyd-bentrefwyr i gyd a
sylweddoli cymaint o gymorth fedren ni fod i'n gilydd

mewn argyfwng. Yn lle gwibio heibio i'n gilydd mewn ceir bob dydd, roedden ni (am y tro, beth bynnag) yn cael cyfarfod wyneb yn wyneb.

Ac yn aml iawn ar daith bywyd, hefyd, fe gawn ni'n hunain yn brwydro yn erbyn yr elfennau — yr amgylchiadau anodd ac annifyr hynny sy'n cydio ynon ni yn ddisymwth ac yn bygwth ein llorio ni. Ambell dro daw 'cwymp go fawr' a ninnau'n ein cael ein hunain yn 'sownd' mewn sefyllfa ddu ac anobeithiol, heb obaith o gael ein traed yn rhydd. Rhyw brofedigaeth, efallai, neu salwch, neu ryw drasiedi fawr arall sy'n ein goddiweddyd ar ein taith hamddenol ar hyd lôn glir bywyd ac yn ein caethiwo dros nos.

Beth all Duw ei gynnig i ni mewn sefyllfa debyg? Yn gyntaf, mi all ei heulwen O doddi'r eira oer sy'n ein dal yn sownd. Mewn ateb i weddi daer, gall newid y sefyllfa, clirio'r rhwystrau o'r ffordd a'n gosod ni yn ôl yn glwt ar ein ffordd fawr. Neu mi all gadw'r sefyllfa fel ag y mae a rhoi gras i ni ddal ati yn wyneb yr amgylchiadau i frwydro i'r dyfodol â llawenydd yn ein calonnau gan wybod i sicrwydd ei fod ef wrth y llyw. Ac o roi i ni brofiad nad yw'n ddymunol, ein haddysgu a'n profi, ein moldio ni'n debycach i'r hyn y mae o'n dymuno i ni fod a'n hargyhoeddi ni o'i gariad.

Ein Tad, cymorth ni yng nghanol stormydd bywyd. Clyw'n gweddi syml a bendithia ni heddiw ym mha helbul bynnag y bôm. Er mwyn Iesu Grist. Amen.

(Rhagfyr 1990)

Cyfrif

Dydi hi fawr o gysur i chi a fi sy'n gorfod talu VAT am nwyddau a gwasanaethau i glywed fod yn rhaid i drigolion Palesteina dalu'u trethi, sbo. Ond mae'n fater o'r pwys mwyaf i mi'n bersonol eu bod nhw'n cynnal cyfrifiad — yn gwneud rhestr anferth o bawb yn ôl eu teulu a'u tarddiad — achos ers blynyddoedd maith, rydw i wedi bod yn ymddiddori mewn rhestrau o'r fath. Mi fûm ar un adeg yn gweithio i'r sefydliad clodwiw hwnnw, Gwasanaeth Archifau Cyngor Sir Gwynedd a phan fyddwch chi'n ymhel â'r gorffennol mewn dull mor uniongyrchol ag sy'n bosibl yn y lle hwnnw, yna mae chwilio am wybodaeth mewn hen gyfrifiadau'n tyfu'n ail natur, a'r gwaith ditectif yn gyffur yn y gwaed.

Wn i ddim sut ffurflen oedd gan y gŵr a gofnododd enw Joseff ym Methlehem. Go brin yn wir iddo gofnodi Mair o gwbwl. Ond pe bai o'n byw yng Nghymru o ganol y ganrif ddiwethaf ymlaen, mi fyddai wedi gwneud joban fach reit deidi ohoni, gan gerdded o dŷ i dŷ yn nodi'r manylion ynglŷn â phawb oedd yno ar noson y cyfrifiad. Mi fyddai'n cofnodi'r cyfeiriad, enw'r penteulu, ac yna enwau pawb arall o fewn y teulu yn nhrefn eu hoed. Yna, eu perthynas â'i gilydd — *'Head of the family, wife, son, daughter,'* ac yn y blaen — y cwbwl yn yr iaith fain, wrth gwrs. Yna oed pawb, eu galwedigaeth, a phlwy eu geni. Ac yna, mewn colofn ychwanegol, *'whether deaf and dumb, blind, idiot or imbecile.'* Ychydig o'r rheini sy'n cael eu cofnodi, cofiwch — calla dawo piau hi bryd hynny, mae'n siŵr. Mae'r wybodaeth i gyd ar gael i ni heddiw, o 1841 hyd at 1881 a'r flwyddyn nesaf fe gyhoeddir cyfrifiad 1891 am y tro cyntaf pan fydd yn gant oed union. Tan hynny, mae'r holl wybodaeth ym Mhrydain dan glo ac yn hollol gyfrinachol.

Ac wrth syllu ar yr holl enwau yna ar sgrin y peiriant meicroffilm, *nifer* y personau sydd arni sy'n synnu dyn. Y fath nifer ohonon ni sydd wedi byw o fewn ffiniau plwyfi fel Llanllyfni neu Lanymawddwy, heb sôn am bentrefi a threfi llawer iawn mwy. Maen nhw'n dweud, wyddoch chi, fod hanner y bobol sydd wedi byw erioed yn fyw heddiw. Wn i ddim faint o biliynau ydi hynny i gyd — mae poblogaeth Llanrug, dyweder, yn 1841 yn ddigon o faes astudiaeth i mi. Ond, a hyn sy'n syfrdanol, mae llyfr awdur yr holl fywydau sydd wedi bod erioed yn ei gwneud hi'n hollol glir fod Duw yn adnabod ei blant i gyd, ac yn eu caru. Mae'n eich adnabod chi a mi, ac yn ein caru ni ddigon i yrru aton ni 'Y Newyddion Da', yr Efengyl, ym mherson Iesu Grist. 'Newyddion da a fydd i'r holl bobl,' — bod Ceidwad personol i bob un ohonon ni wedi ei eni yn ninas Dafydd tua dwy fil o Nadoligau yn ôl. Dyma Geidwad a droes yn Waredwr a'n cymodi ni â Duw ac nid oes yr un ffordd arall i'n dwyn ni yn nes at ein creawdwr na chredu yn y Ceidwad hwn, y Meseia tragwyddol, mab Duw ei hun.

Dduw ein Tad, cyfrif ni'n blant i ti'r bore 'ma, hyd yn oed os yw'n ffydd yn wan, bydd yn real i ni. Cryfha ni yn y ffydd y Nadolig hwn a derbyn ein diolch am y Newyddion

Da o lawenydd mawr a anfonwyd gennyt i'r byd unwaith ac am byth. Trig yn ein calonnau heddiw, er mwyn Iesu. Amen.

(Rhagfyr 1990)

Y Storm

Bore da i chi. Dêr, mae mwynhau ychydig bach o foethusrwydd yn gwneud lles i gorff ac enaid dyn weithiau. Mi gefais i a'r wraig fwrw'r Sul diwethaf mewn bwthyn ar lan y Fenai trwy haelioni perthnasau hyfryd i ni a oedd yn dymuno i mi gael llonydd a heddwch i geisio gwella tipyn rhag salwch. *Millionaire's Row* yw'r blasenw ar y rhesiad tai crand sy'n britho'r arfordir rhwng Porthaethwy a Biwmares ac wir, mi roeddwn i'n teimlo fel taswn i'n filiwnydd go iawn yn cael ymlacio yn *lodge* un ohonyn nhw.

Tŷ digon bychan, clyd oedd o, yn gynnes y tu mewn, a minnau wrth fy modd yn eistedd yno yn fy nghadair freichiau yn syllu allan ar draws y Fenai i gyfeiriad Abergwyngregyn, pîr Bangor, y Coleg ar y Bryn, ac ie, hyd yn oed Bryn Meirion y BBC! Gweld sawl gwedd ar afon Menai, nad yw'n afon o fath yn y byd wrth gwrs, a'r ceffylau gwynion ar frig y tonnau'n prancio'n ddigon prysur pan ddôi hi'n ddrycin. Mi gododd hi'n wynt mawr ddydd Sadwrn ac roedd 'na rywbeth braf iawn mewn gwylio'r dymestl o'r tu mewn. Peth gwahanol iawn fuasai bod allan ar drugaredd y storm, a'r gwynt yn hyrddio, yn oeri ac yn gwlychu. Diolch ar adegau fel hyn am y waliau cedyrn sy'n ein hamddiffyn, a chofiwn am y trueiniaid hynny na fu mor ffodus â ni fwrw'r Sul 'ma.

Daw, mi ddaw 'na stormydd ar ein traws ni mewn bywyd. Ambell un yn fer ei heinioes, drosodd mewn dim: ond ambell un sy'n dymestl anferthol, lle mae holl ryferthwy'r ddrycin yn cael ei hyrddio i'n cyfeiriad nes peri i ni amau a ddown ni drwyddi byth. Bryd hynny mae'n dda cofio fod lloches i'w gael gyda Duw rhag pob storm. Y cyfan sydd ei angen yw i ni ymddiried ynddo, pwyso ar ei fraich, a chaniatáu iddo'n cynorthwyo ni i ddwyn yr ergydion. Mae ganddo, cofiwch, sawl ffordd o ymdrin â'r sefyllfa. Gall ein symud ni wedi i ni hir weddïo efallai, o olwg y storm i ryw hafan glyd megis y bwthyn ar lan y Fenai lle na fydd dim yn ein cyffwrdd. Mor braf ydi hi pan ddigwydd hynny, a ninnau'n dychwelyd i'r heulwen yn ddianaf.

Ond weithiau hefyd, mae fel pe bai Duw yn ein gadael ni ynghanol y storm, a ninnau'n methu gweld yr un ddihangfa yn unman. Pam, ysgwn i? Un rheswm yn siŵr yw fod y sawl sy'n brofiadol o stormydd yn medru estyn y cymorth mwyaf effeithiol i'r sawl sy'n cael eu poenydio ar hyn o bryd. Yn ail, mae stormydd bywyd yn magu gwytnwch cymeriad, a rhinweddau Crist-debyg na fedrwn ni mo'u meithrin ynon ni ein hunain: mae angen ambell brofiad go egr i'n moldio ni ac addasu'n personoliaethau ni. Ac yn olaf, mae Duw, trwy yrru aton ni ddrycinoedd bywyd, yn dysgu i ni un o brif hanfodion byw — ymddiried ynddo ef i'n tywys trwy fywyd.

Waeth pa mor arw ydi'r stormydd heddiw, ymddiriedwn ynddo. Ganddo ef yn unig y mae'r gallu i'n cynnal.

Ein tad o'r nef, beth bynnag sy'n ein poeni ni yn awr caniatâ i ni fwrw'n beichiau arnat ti. Clyw ein gweddïau ac ateb ni. Cysura ni ac esmwythâ ein cur. Amen.

(Ionawr 1991)

Caf ei weled fel y mae

Helô 'na. Llun a oedd yn peri boddhad mawr i mi fwrw Sul y Pasg oedd hwnnw a gyhoeddwyd ddoe ar glawr yr *Independent*. Fe'i tynnwyd mewn gwesty yn Llundain a dau ddyn sydd ynddo — Nelson Mandela a'r Archesgob Trevor Huddleston. Gwên fawr sydd ar wyneb Mandela a'i urddas a'i garisma'n amlwg. Dileit pur sydd i'w weld yn llygaid Trevor Huddleston, wedi dotio'n lân, mae'n amlwg, o gael cyfarfod yn y cnawd y gŵr y bu'n dadlau ei achos ers cynifer o flynyddoedd. Bu Trevor Huddleston yn ymgyrchwr cryf dros ddileu apartheid erioed, ym Mhrydain ac yn Ne Affrica, ac ef yw llywydd y Mudiad Gwrth-Apartheid mwyach. Pa ryfedd ei fod wedi gwirioni o gyfarfod y gŵr y bu'n sôn amdano wrth eraill am y saith mlynedd ar hugain diwethaf?

Ac mae cyfarfod rhywun yn y cnawd yn brofiad gwahanol iawn i'w gweld ar deledu, 'dydi? Ysgwyd llaw, a chynhesrwydd y dwylo'n cyfarfod â'i gilydd. Edrych ar eich gilydd lygad yn llygad a sefydlu cyfeillgarwch. Gwenu, a'r wên yn cyhoeddi, 'Dyma fi yn eich derbyn chi i gylch fy nghyfeillion ac o hyn allan, mi fydd gennyf gonsyrn drosoch chi yn rhinwedd ein cyfeillgarwch.'

Ysgwn i a fuoch chi'n canu'r geiriau hyn rywdro? 'Henffych fore, henffych fore, y caf ei weled fel y mae.' Mae'r Cristion brwd yntau wedi bod yn cyhoeddi neges Crist ers blynyddoedd trwy ei ymddygiad a'i ffordd o fyw — ei dystiolaeth. Bu'n pregethu amdano, efallai, gan gyhoeddi ei enw ar hyd a lled gwlad, ond dydi o erioed wedi cael y fraint o'i weld wyneb yn wyneb. Er sefydlu perthynas trwy weddi ac er iddo wneud ei orau glas i fyw'n Grist-debyg, *welodd* o mo'r Arglwydd Iesu erioed nac ysgwyd ei law. Ac eto, fe ddywed y Beibl i'r disgyblion wneud hyn ar ôl yr Atgyfodiad ac y bydd modd i'w ddisgyblion heddiw weld yr Iesu rhyw ddydd. Yr ysfa hon i weld Crist a barodd i Ann Griffiths gyfansoddi un o'i hemynau enwocaf.

> Wele'n sefyll rhwng y myrtwydd
> Wrthrych teilwng o'm holl fryd,
> Er mai o ran yr wy'n adnabod
> Ei fod uwchlaw gwrthrychau'r byd:
> Henffych fore,
> Y caf ei weled fel y mae.

Rydyn ni wedi canu'r geiriau droeon, ond ysgwn i i faint ohonon ni y mae hyn yn obaith byw sy'n gyrru ias o gyffro trwon ni wrth feddwl amdano ac sy'n ein cadw i fynd trwy ddyffrynnoedd tywyllaf bywyd.

Ein Tad, diolch i Ti am arwyr y medrwn ni eu hedmygu o blith plant dynion. Ond mae ein diolch gymaint mwy i ti am yr Iesu, dy Fab. Pâr iddo fod yn bennaf arwr i ni, yn dywysog i ni ar hyd llwybrau bywyd, a phlanna obaith Ann yn ein calonnau ninnau — y cawn ei weld fel y mae. Amen.

(Ebrill 1990)